認知言語学の諸相

安原 和也

［著］

はしがき

　本書『認知言語学の諸相』は、7つの論考で構成された単著の論文集（あるいは小論集）として企画されたものである。各々の論考は、そのすべてにおいて、その執筆時期が大幅に異なっており、かつまだどこにも発表されていない未発表原稿として著者の手元に残っていたものである。したがって、このような意味では、本書に掲載された7つの論考は、どの論考から読んでも、一応の理解がきちんとできるように構成されているということでもある。

　目次にも示されているように、本書の論考7編は、それぞれ、「認知言語学と認知プロセス」「誤読の認知言語学」「命名と形式ブレンディング」「擬人化／非擬人化と半擬人化」「認知「ことば遊び」論」「文脈的特定性について」「認知言語学の愉しみ」と、多岐の内容にわたっているものと考えられる。しかしながら、どの論考においても、その根底にあるのは、本書のタイトルにも示されているように、認知言語学というものの考え方である。すなわち、認知言語学という道具立てを通して、様々なことばの現象を探求してみようとする目的や意図が、そこには隠されていると言ってよい。基礎的で概説的な論考もあれば、応用的で斬新な論考も、本書には含まれていると言えるが、本書によって、認知言語学というものの見方が、言語研究において改めて重要な視点や視座を切り開くものであるという点が、読者に伝わっていくとするならば、本書をまとめることを決意した筆者にとっては、望外の喜びになるようにも思われる。

　最後に、本書をまとめるにあたり、様々な場面で刺激や励ましなどをもらいつつ、本書の執筆ができたことに、この場を借りて感謝申し上げたいと思う。また、本書の刊行に向けて、多大なるご尽力を頂きました、英宝社編集部の皆様にも、心よりお礼を申し上げたい。

2020 年 1 月　名古屋にて

著　者

目　次

認知言語学の諸相

認知言語学と認知プロセス

1．はじめに

　認知言語学（cognitive linguistics）の理論的枠組みにおいては、言語現象の記述や説明を行う目的で、多種多様な認知プロセス（cognitive process）が、これまでの研究で提案されてきたと言ってよい。そのすべてについて、ここで取り上げるわけにはいかないが、その中でも特に重要であると一般に認識されている、7つの認知プロセスについて、本論では簡単にその概略を紹介してみたいと考えている。その7つの認知プロセスとは、プロファイリング（profiling）、図地反転（Figure-Ground reversal）、スキャニング（scanning）、ズーム・イン（zooming-in）とズーム・アウト（zooming-out）、メタファー（metaphor）、メトニミー（metonymy）、そしてブレンディング（blending）である。

　以下では、ここに提示した順序で、これらの7つの認知プロセスについて、その概要を略述したいと考えているが、その際には、私たちの身の回りにあふれている具体的で卑近な言語事例でもって、これらの認知プロセスについて紹介したいと思っている。というのも、このような認知プロセスそれ自体が、私たちの用いている身近な言語現象の中に、普段は直接的に気付くことは少ないかも知れないが、実際に存在しているという点を、ここではより明確に伝達したいと考えたからに他ならない。したがって、本論で取り上げられる言語事例については、新聞のコラムや小説、ヒット曲や童謡の歌詞、商品パッケージの文言、商品のテレビＣＭなど、多岐にわたる日常生活の領域から、その言語事例が引用されている点が、本論の一大特徴になっていると言っても過言ではないかも知れない。本論を通して、認知言語学における認知プロセスの基本事項を確認してもらうこともさることながら、認知言語学の奥深さというもの、あるいはまたその柔軟性というものも感じ取ってもらえるとしたら、筆者としても、大変うれし

い限りである。

２．プロファイリング

　プロファイリングとは、一定の知識情報を前提とした上で、その一部分に対して焦点を当てていく認知プロセスのことを、一般に意味している。この場合、前提とされる一定の知識情報のことはベース（base）、焦点化が施されていく対象としてのその一部分のことはプロファイル（profile）と呼ばれている（cf. Langacker 1990, 2000, 2008）。

　例えば、（１）の事例について、プロファイリングの観点から、ここで分析を行ってみよう。

（１）「これから相撲界の中心になるのは、境川部屋」。舞の海さんは３年前、小紙のコラムで言い切った。恩義ある先輩へのお世辞ではないらしい。「部屋が、武士道精神を伝えようとしている」からだ。
　　　　　　　（「（産経抄）大和魂で綱取りを」産経新聞 2016 年 9 月 26 日
　　　　　　　　　　　　　　　　　　　　　　　　　　　　　　［下線は筆者による］）

　このコラムは、大相撲の興行において、大関の豪栄道が全勝で初優勝を果たした際に執筆されたものであると考えられる。その時点においては、元小結両国が師匠を務める境川部屋には、多くの関取（十両以上の力士）が所属していて、活気のある相撲部屋となってきつつあったために、「舞の海さん」も下線部のような発言を行ったものと推測される。すなわち、相撲界には、かなりの数の相撲部屋が存在している中で、その中でも特に境川部屋に、「舞の海さん」は注目をしたわけである。したがって、これは、プロファイリングの観点から理解していくと、相撲界における相撲部屋全体をベースとした上で、その中の特に境川部屋にプロファイルを付与したという認識状態に等しくなるというわけである。つまり、「舞の海さん」は、数多い相撲部屋の中でも、特に勢いがついてきている境川部屋にプロファイルを与えて、「これから相撲界の中心になるのは、境川部屋」と発言したものと、ここでは理解することができるのである。

　（１）の事例では、そのプロファイリングが、相撲部屋という一般知識に適用されてきている事例であったと言えるが、このような現象は、必ずしもここで提示したような一般知識に対して適用されるというだけのものではない。事実、（２）に示されるように、文字という視覚情報に対しても、プロファイリングの認知プロセスは、適用していくことが可能である。

　（２）そういえば<u>詐欺師にもペテン師にも「師」がしっかりと付いている。</u>
　　　　　（「春秋」日本経済新聞 2018 年 10 月 18 日［下線は筆者による］）

　ここでは、下線で示しているように、「詐欺師」と「ペテン師」という文字列を視覚的に認識すると、両者に共通して登場してきている文字としては、「師」という漢字が指摘できるということが主張されている。すなわち、この主張が成り立つためには、下記の（３）に示されるようなプロファイリングの認知プロセスが、その背景で機能的に働いていると、ここでは考えていかなければならない。

　（３）ａ．詐欺師　→　詐欺**師**
　　　　ｂ．ペテン師　→　ペテン**師**

　（３ａ）では、「詐欺師」という文字列をベースとして認識した上で、「師」という漢字の部分にプロファイルが付与されている。同様に、（３ｂ）でも、「ペテン師」という文字列をベースとして認識した上で、「師」という漢字の部分にプロファイルが付与されている。したがって、プロファイリングの認知プロセスは、一般知識のみならず、文字情報に対しても、十分に適用されうるものであることが、以上の考察から理解できるようになる。この点は、一般知識も概念（concept）であり、文字情報もまた概念であるということを考慮に入れれば、かなり素直に理解できるものであると言えるかも知れない。

３．図地反転

　図地反転とは、読んで字の如くではあるが、図（Figure）と地（Ground）が反転する認知プロセスのことを、一般に意味している（cf. Talmy 2000）。ここで言うところの図とは、要するには先ほどのプロファイルのことであり、ここで言うところの地とは、つまりは先ほどのベースのことであると、ここでは理解すればよい。

　例えば、（4）の事例について、ここで考えてみることにしよう。

（4）待て　待て　鉄矢　また人ば指さして 笑うて
　　　人ば指さして笑うたらつまらん
　　　人ば指さして笑う指のかたちば　よ～と見てみろ
　　　<u>二本はその人さしておるが</u>
　　　<u>後の三本は自分さして自分で笑いよるとぞ</u>
　　　そげなことも判らんとか　早よ学校行ってこんかバカチンが
　　　　　　　　（海援隊「母に捧げるバラード」（作詞：武田鉄矢、作曲：海援隊）
　　　　　　　　　　　　　　　　　　　　　　　　　［下線は筆者による］）

　ここでは、全体の文脈を理解してもらう意図で、やや長めの引用となっているが、要するには、ここでは特に下線部に注目してもらいたいと考えている。人を指で指す行為について、ここでは語られているが、このような場合には、5本の指があった際、その2本は相手を指しているのであるが、そうではない残りの3本は自分の方を向いているという、大変興味深い指摘がなされていると言える。すなわち、この認識は、5本の指をその総体として理解する際に、指差し行為はその内の2本で行われているわけであるが、視点を切り替えて、つまり反対の側面からを見てみると、3本の指は自分の方を向いているということで、そんな恥ずかしいことはしないようにと、この歌詞は綴っているのである。したがって、下線部の1行目では、5本の指をベースとして、その内の2本の指をプロファイルしているわけであるが、下線部の2行目では、その関係が逆転し、5本の指をベースとして、その残りの3本の指がプロファイルされるという状態へと移行させられているのである。これは、要するには、プロファイルされる

部分が、５本の指というベースとの関係の中で、２本の指から残りの３本の指へとシフトしていると理解することが可能であるので、両者の認識状態は、まさに図地反転の構図になっていると考えていくことができる。

４．スキャニング

　スキャニングとは、一定の対象を前提とした上で、それに視線を走らせていく認知プロセスのことを、一般に意味している。つまり、端的に言えば、一定の対象に向かって、認識主体の視線を移動させることが、スキャニングと呼ばれる認知プロセスであるとも言うことが可能である（cf. Langacker 1990, 2000, 2008）。

　例えば、（５）の事例に施された下線部に、ここでは注目してもらいたい。

（５）「ＳＭＡＰの年末解散」。日曜日の未明、リオ五輪の中継の最中に飛び込んできたニュースの衝撃は、今も衰える気配がない。昭和４５（１９７０）年の「ザ・ビートルズ」の解散に、なぞらえる声があるほどだ。確かに国内だけでなく、ファンの多い台湾や中国、韓国のメディアも一斉に報じた。

（「（産経抄）ＳＭＡＰ５人わだかまりが消える日まで」産経新聞
2016 年 8 月 16 日 ［下線は筆者による］）

　このコラムでは、日本を代表する男性アイドルグループであった「ＳＭＡＰ」が解散するという事実が明らかになったことを伝えている。その時、日本だけではなく、各国のメディアでも、その一報にかなりの衝撃が走って、きわめて大きなニュースとなったことが、ここでは述べられている。その際、下線で示したように、「国内だけでなく、ファンの多い台湾や中国、韓国のメディアも」と表現されている部分に、ここでは注目してほしい。すなわち、このような表現が現実に可能になるためには、まずはアジア地域を主体とした世界地図が頭の中に浮かんできて、このニュースの発信元である日本から、そして台湾、中国、韓国へと、その認識主体の視線が動いていくことが必要となってくるのである。要するに、ここでは、アジア

地域を主体とした世界地図をベースとした上で、日本→台湾→中国→韓国という順序で、そのプロファイルが移動させられているということが、ここでのポイントになってくると言ってもよい。これは、一般に、一定の対象に向かっての認識主体の視線移動を意味しているとも考えられるので、まさにスキャニングの代表事例として認識されうることとなる。

　同様の点は、下記の（6）の事例にも、認められると考えられる。

（6）3店は車で１０分以内に行き来できる近さ。店を結ぶ三角形が容疑者の生活圏なのだろう。

（「（天声人語）期限切れ商品を持ち込む」朝日新聞 2016 年 5 月 31 日
［下線は筆者による］）

　ここでは、何らかの事件の捜査として、容疑者の生活圏というものが問題にされている。この引用では、具体的な事件内容については省略されているが、事件に関わる場所としては、３つの店が関係していると考えられているらしい。そして、その３つの店を順番に視線で追っていくと、その結果、視線の軌跡として、三角形が仕上がってくるという発想に、ここでは着目してほしい。すなわち、どこかの地域の地図がそこではイメージされていて、それがベースとして認識された上で、認識主体の視線でもって、３つの店にプロファイルが与えられていくのである。そうすると、その結果としては、その３つの店を線で結ぶかのように、認識レベルではあるが、軌跡が残されることとなり、それが最終的に三角形という形状で理解されてきているのである。まさに、このような認知プロセスに関しても、その背景でスキャニングが大きく関与してきていることは、以上の考察からも、一目瞭然であると言えるであろう。

5．ズーム・インとズーム・アウト

　ズーム・インとズーム・アウトの認知プロセスは、カメラワークの観点から把握していくと、比較的容易に理解することが可能である。ズーム・インとは、一定のベースを前提とした上で、ある特定の対象に対して、そ

の視野を縮小していく認知プロセスとして、一般に規定することができる（cf. 山梨 2004）。これに対して、ズーム・アウトとは、ズーム・インとは正反対の概念構造を取り、一定のベースを前提とした上で、その視野を拡大していく認知プロセスとして、一般に理解されている（cf. 山梨 2004）。

　まず、ズーム・インの認知プロセスが関与する具体事例としては、下記の（7）を指摘することができる。

（7）安芸の宮島　朱色の鳥居
　　　胸の痛みを　わかって欲しい…
　　　　　　　　　　（水森かおり「安芸の宮島」（作詞：仁井谷俊也、作曲：弦哲也）
　　　　　　　　　　　　　　　　　　　　　　　　　　［下線は筆者による］）

　ここでは、下線で示されているように、「安芸の宮島　朱色の鳥居」という部分に、ズーム・インの認知プロセスが隠されていると考えられる。このフレーズにおいて、最初に登場してくるのは「安芸」であり、これは広島県の旧国名であると言える。そして、次に登場してくるのが「宮島」であり、これは広島県に存在する観光名所として有名で、日本三景の１つとして知られているところである。そして、最後に登場してくるのが、「朱色の鳥居」であるが、これは「宮島」にある「朱色の鳥居」ということなので、要するには、厳島神社のことを意味しているものと考えられる。したがって、このような形で、このフレーズを理解していくと、広島県から宮島へ、宮島から厳島神社へというように、その視野がどんどん狭まってきているのが、ここでは認識できてくるようになる。まさに、このような形で、その視野が縮小していく認知プロセスがズーム・インであり、（7）の下線部には、このような認知プロセスが潜在していると、ここでは理解していくことができる。

　次に、ズーム・アウトの認知プロセスが関与する具体事例としては、下記の（8）を挙げることができる。

（8）赤い靴　はいてた　女の子

　　　異人さんに　つれられて　行っちゃった
　　　　　（童謡「赤い靴」（作詞：野口雨情、作曲：本居長世）［下線は筆者による］）

　ここでは、全文に下線が引かれているので、ここに示したものの全体に、ズーム・アウトの認知プロセスが関与していると言うことができる。まず、最初に出てくるフレーズは「赤い靴　はいてた」であるので、まずは誰かの足元にその焦点が向かっていると理解できるように思われる。そうすると、その次の段階では、「女の子」ということばが登場してくるので、ここでは「赤い靴」から「女の子」へと、その視野が拡大してきていることに気付かされる。そして、最後の段階では、「異人さんに　つれられて　行っちゃった」と表現されてあるので、つまりは、赤い靴をはいていた女の子が異人さんにつれられて行ってしまったということになるので、この段階での視野はさらに拡大し、女の子と異人さんの２人連れであることがイメージされてくるようになる。したがって、このような形で、その認知プロセスを整理してみると、そこには、「赤い靴」から「女の子」へ、そして「女の子」から「２人連れ」へと、その視野の拡大が認識されることになり、まさにこの部分に、ズーム・アウトの認知プロセスの関与が認められることになるのである。

6. メタファー

　メタファーとは、何かを何かで喩える認知プロセスのことを、一般に意味している（cf. Lakoff & Johnson 1980, 1999; Lakoff 1987）。例えば、（9）の事例について、ここで考えてみることにしよう。

（9）サクサクッとしたコーンパフの軽やかで口当たりの良いテイスト
　　　…。甘さおさえた、まろやかチョコとの香り豊かな絶妙のハーモ
　　　ニー、新感覚のこだわりの美味しさがグ～ンと広がります…。
　　　　　　　（「しっとりチョコ（チョコレート菓子）」（リスカ）のパッケージより
　　　　　　　　　　　　　　　　　　　　　　　　　　　　　［下線は筆者による］）

　ここでは、下線部の「絶妙のハーモニー」という部分に、特に注目してほしい。（9）の文脈においては、お菓子のパッケージからの引用でもあるので、かなり容易に理解できるように、このお菓子の特徴が、ここでは表現されているものと考えられる。したがって、この点を別の角度から理解すれば、このお菓子を食べた時の感覚、すなわち味覚が、（9）には表現されているとも考えることができるわけである。しかしながら、このような文脈において、異質の要素として認識されてくるのは、「ハーモニー」あるいは「絶妙のハーモニー」というフレーズであると言わなければならない。というのも、「ハーモニー」ということば自体は、通常は、そもそもが音楽用語であると考えられているからである。したがって、このような場合には、このお菓子の味覚情報が、音楽の観点から把握されることで、（9）のような表現が可能になってきているものと理解することができる。一般に、このような形で、何かを何かで喩える認知プロセスのことが、まさにメタファーであると言える。したがって、（9）で利用されているメタファーは、味覚を音楽で喩えるメタファーであると、ここでは理解することが可能である。

　同様のことは、下記の（10）の事例にも、当てはめることができる。

（10）緊張、そいつは知っている
　　　　キミの戦った日々を
　　　　緊張は本気の人のもとにやってくる
　　　　　　　　（「in ゼリー」（森永製菓）のテレビＣＭより［下線は筆者による］）

　ここでは、下線で示したように、「そいつ」という代名詞（pronoun）が、ここでの理解のポイントとなってくる。通常の観点から考えるならば、「そいつ」という代名詞は、ヒトを指示するために用いられるのが、普通の状況であると言わなければならない。しかしながら、ここでの「そいつ」は、その文脈からも明らかであるように、「緊張」という心理状態を指示して、ここでは用いられているのである。すなわち、ここでは、「緊張」という心理状態を、ヒトとして認識した上で、それを「そいつ」呼ばわりしてい

るのである。したがって、このような場合にも、メタファーの認知プロセスが関与しているものと考えられ、この場合には、心理状態をヒトで喩えるメタファーがその背後で機能していると理解していく必要がある。なお、(10) の事例においては、最後の3行目にある「緊張は本気の人のもとにやってくる」という表現も、心理状態をヒトで喩えるという、まったく同様のメタファーが、その背景で機能していると言える。というのも、「やってくる」と表現されている以上は、通常は、ヒトが「やってくる」と理解されなければならないからである。一般に、認知言語学の研究領域では、(10) のように、何かをヒトで喩えるメタファーは、特に擬人化 (personification) としてよく知られている。

7. メトニミー

メトニミーとは、概念レベルの近接関係を利用して、その指示対象をシフトさせていく認知プロセスのことを、一般に意味している (cf. Lakoff & Johnson 1980, 1999; Lakoff 1987)。例えば、下記の (11) は、メトニミーの代表的な具体事例となっている。

(11) ヘミングウェイを読みながら
　　　僕はチラ見した
　　　　　　　　　　（乃木坂46「バレッタ」（作詞：秋元康、作曲：サイトウヨシヒロ）
　　　　　　　　　　　　　　　　　　　　　　　　　　　　　　　　　［下線は筆者による]）

ここでは、下線で示した「ヘミングウェイ」という要素が、どのように理解されうるかという点を、しっかりと吟味していく必要がある。「ヘミングウェイ」と聞くと、通常は、作家の名前であると認識されうるわけであるが、ここでは、そのような解釈を与えることは少し難しいと言わなければならない。というのも、ここでは、「ヘミングウェイを読みながら」と表現されているからである。すなわち、「ヘミングウェイを読みながら」ということは、「「ヘミングウェイ」の書いた小説（あるいは本）」とか、あるいは「「ヘミングウェイ」の書いた作品」とかを読みながらと、ここ

では解釈していかなければ、適切な意味解釈には到達できないと言えるからである。したがって、このような場合には、メトニミーの認知プロセスが適用されてきていると理解されることとなる。つまり、この場合には、「ヘミングウェイ」というフレーズでもって、作家を指示するのではなく、それと近接関係を築くことのできる、その作家が書いた小説（あるいは本）または作品を指示するという意味解釈に、ここではシフトしてきている点に注目していく必要がある。

　同様のことは、（12）においても、当てはめることが可能である。

（12）「僕らまた、しばらくは冬籠（ごも）りだから、一茶読むにはもっ
　　　てこいだね」

（ねじめ正一「むーさんの背中（120）「一茶の空（五十）」
山陽新聞 2016 年 5 月 9 日 p. 18［下線は筆者による］）

　ここでは、下線部の「一茶」の解釈が、ここでのポイントとなってくる。「一茶」というのは、周知のように、俳人として知られる小林一茶のことであるのだが、残念ながら、ここでの「一茶」ということばは、その人物を指示しているというわけでもないようである。つまり、「一茶」を「読む」というフレーズから考えていくと、ここでの「一茶」は読まれるべき対象として認識されていることになるので、そのような解釈では根本的に意味をなさなくなってしまうのである。したがって、このような場合には、何を読むのかと言うと、「「一茶」の著した句集」を読むと解釈していけば、ここでの意味関係は整合的になってくると言える。一般に、このような場合にも、「一茶」ということばは、その人物を指示するのではなく、それと近接関係を築くことのできる、その人物の著作物を指示することになっている点で、まさにメトニミーの認知プロセスが機能してきていることが理解できる。

８．ブレンディング

　ブレンディングとは、複数のものを概念的に融合することで、創発的な

構造を有する新たなものを作り出していく認知プロセスとして、一般に定義することが可能である。通常は、このようなブレンディングの認知プロセスでは、融合対象となるべき複数のものはインプット（Input）として、融合された結果として新たに生じてくるものはブレンド（Blend）として、一般に呼ばれることが多い（cf. Fauconnier & Turner 2002, 2006）。したがって、このような観点から、ブレンディングの認知プロセスを捉え直していけば、複数のインプットを混ぜ合わせることで、1つのブレンドを作り出していくことが、ブレンディングの認知プロセスであると再定義することも可能となってくる。

　ここでは、下記に挙げる（13）の事例を用いながら、ブレンディングの認知プロセスの概要について、簡単に確認してみることにしたい。

（13）もしも三十五億年の生命の歴史を一時間に縮めると…。最初の一
　　　秒で単細胞生物が生まれ、五十一分十秒もたってから魚が登場す
　　　る。恐竜は五十六分に現れ、三分後に絶滅。現生人類の誕生は
　　　五十九分五十九秒八の出来事だ▼

（「中日春秋」中日新聞 2016 年 9 月 10 日）

　この文脈では、三十五億年にも及ぶ生命の歴史を、一時間という時間単位で理解しようとする、きわめて興味深い発想が試みられている。一般に、このような視点で、三十五億年にも及ぶ長大な生命の歴史を理解していこうとする場合には、ブレンディングの認知プロセスがその背後で重要な働きをしていると言わなければならない。まず、ここで必要となってくるインプットとしては、2つのものを指摘することができる。1つは、「三十五億年の生命の歴史」に関わるインプットであり、もう1つは「一時間」という時間単位に関するインプットである。そして、これら2つのインプットを融合していくことで、ブレンドとして構造化されてくるのが、「一時間」という時間単位で理解された「生命の歴史」という発想である。したがって、このようなブレンドが構造化されることによって、「三十五億年」という時間の経過が、「一時間」という時間単位に圧縮されて理解されるように

なるのである。その結果、(13) に提示されるような論理構造、すなわち「最初の一秒で単細胞生物が生まれ、五十一分十秒もたってから魚が登場する。恐竜は五十六分に現れ、三分後に絶滅。現生人類の誕生は五十九分五十九秒八の出来事だ」という論理構造が創発してくることになるのである。したがって、このような形で、ブレンディングの認知プロセスが仲介してくるからこそ、(13) のようなきわめて興味深い発想が、私たちの目の前に創発してきて、ある意味で新しい発見とも呼べるような視点を、私たちに提供してくれているのである。この意味では、ブレンディングの認知プロセスは、豊かな創造的思考を育む認知プロセスとして、一般に理解することが可能である。

9．おわりに

　本論では、認知言語学の理論的枠組みにおいて特に重要であると考えられる、7つの認知プロセスについて、その概要（あるいはその基本的な考え方）を素描してきた。プロファイリング、図地反転、スキャニング、ズーム・インとズーム・アウト、メタファー、メトニミー、そしてブレンディング、そのいずれの認知プロセスをとっても、認知言語学という学問領域においては、必要不可欠な基礎概念ばかりであると言うことができる。なお、本論で取り上げることのできなかったその他の認知プロセスについては、昨今では多種多様な認知言語学の入門書が刊行されてきているので、それらを参照してもらいたいと考えている。

参考文献

Fauconnier, Gilles, and Mark Turner. (2002) *The Way We Think: Conceptual Blending and the Mind's Hidden Complexities.* New York: Basic Books.

Fauconnier, Gilles, and Mark Turner. (2006) "Mental Spaces: Conceptual Integration Networks." In: Dirk Geeraerts (ed.), *Cognitive Linguistics: Basic Readings*, pp. 303-371. Berlin/New York: Mouton de Gruyter.

Lakoff, George. (1987) *Women, Fire, and Dangerous Things: What Categories Reveal about the Mind.* Chicago: The University of Chicago Press.

Lakoff, George, and Mark Johnson. (1980) *Metaphors We Live By.* Chicago: The

University of Chicago Press.

Lakoff, George, and Mark Johnson. (1999) *Philosophy in the Flesh: The Embodied Mind and its Challenge to Western Thought.* New York: Basic Books.

Langacker, Ronald W. (1990) *Concept, Image, and Symbol: The Cognitive Basis of Grammar.* Berlin/New York: Mouton de Gruyter.

Langacker, Ronald W. (2000) *Grammar and Conceptualization.* Berlin/New York: Mouton de Gruyter.

Langacker, Ronald W. (2008) *Cognitive Grammar: A Basic Introduction.* Oxford: Oxford University Press.

Talmy, Leonard. (2000) *Toward a Cognitive Semantics, Volume 1: Concept Structuring Systems.* Cambridge, MA: MIT Press.

山梨正明 (2004)『ことばの認知空間』東京：開拓社 .

誤読の認知言語学

1．はじめに

　日常の言語生活の中では、漢字を読み間違えるということは、ある意味で日常茶飯事のことであるかも知れない。誰にでも起こりうる、至って普通のことと言えば、そう言えそうでもある。しかしながら、政治家やアナウンサーなど、社会的に見て、その立場が重要視される人たちにとっては、漢字を読み間違えるという誤読あるいは読み間違い（misreading）は、様々な誤解を生み出したり、その能力を疑問視されたりするなど、その恥を世間にさらすことにもなりかねない。また、あまりにも突飛で、予想外の誤読が生じてしまうと、場合によっては、笑い（laughter）にも発展してしまうということもあることであろう。そして、さらには、その状況が悪ければ、笑いにもならないと、かなりきついダメだしをされることにも、つながってしまうものと考えられる。

　本論では、このような誤読（あるいは読み間違い）という現象を、日常的に生じるごくありふれた言語現象の一部として理解した上で、それがどのような認知メカニズムを通して、生じてくることになっているのかについて、主として認知言語学（cognitive linguistics: cf. Langacker 1990, 2000, 2008; 山梨 1995, 2000, 2004; 安原 2017, 2018）の観点から、簡単な考察を加えてみたいと考えている。なお、誤読（あるいは読み間違い）と言っても、仮名の誤読や数字の誤読など、現実的には様々なタイプのものを特定していくことができそうであるが、本論では、特に漢字の誤読に絞って、その議論を行ってみたいと考えている。

2．多重読みと定着度

　「一日」という漢語表現は、「ついたち」とも「いちにち」とも読むことが可能である。「今日は十月一日です」という文章においても、「一日」と

いう部分は「ついたち」と読む方が確かに一般的であるとは言えるが、そうは言うものの、これを「いちにち」と読んだとしても、それは必ずしも誤読には当たらないと考えられる。

　同様のことは、「二十日」という漢語表現でもそうである。例えば、「明日は十月二十日です」という文章に遭遇した場合、「二十日」という部分を「はつか」と読む人の方が圧倒的多数を占めるようには思われるが、だからと言って、これを「にじゅうにち」と読んだとしても、それが誤読であると考える人はそう多くはないものと推測される。

　さらには、「明日は十月二十日です」という文章においては、「明日」という漢語表現が登場してきているが、これを「あした」と読むのも、あるいは「あす」と読むのも、それはその読み手の、ある意味で自由裁量というべきものである。この点は、「昨日」という漢語表現を、「きのう」と読むか、あるいは「さくじつ」と読むかという問題に関しても、まったく同様であると言うことができる。

　したがって、以上の考察の範囲内においては、「一日（ついたち／いちにち）」「二十日（はつか／にじゅうにち）」「明日（あした／あす）」「昨日（きのう／さくじつ）」のいずれを取っても、これらのものは誤読として理解するのには少し無理があると言わなければならない。すなわち、このような場合には、ある特定の漢語表現において、複数の読み方が一般に認められている状態にあるというだけのことであるので、その読み方としては、そのいずれを採用しようとも、現実的な解釈としては、一般に誤読とは判断されないということである。したがって、以上のように、ある特定の漢語表現において、その読み方が複数認められる場合には、そこに読み方の多重性が存在しているとも認識することができるので、本論では、このようなケースのことを、多重読み（multiple reading）と呼んでおきたいと考える。この意味では、多重読みという現象は、漢字を読み間違えるという意味での誤読（ないしは読み間違い）とは、明確に区分される必要があると言える。

　しかしながら、「一日（ついたち／いちにち）」「二十日（はつか／にじゅうにち）」「明日（あした／あす）」「昨日（きのう／さくじつ）」という先

述の4つの例においては、いずれにおいても、誤読ではなく、確かに多重読みの方が関与していることは理解できるものの、先ほどの議論においては、「一日（ついたち／いちにち）」「二十日（はつか／にじゅうにち）」の場合と、「明日（あした／あす）」「昨日（きのう／さくじつ）」の場合とでは、少し異なった捉え方をしたことも、ある意味で事実であると言わなければならない。すなわち、「一日（ついたち／いちにち）」「二十日（はつか／にじゅうにち）」の場合には、2つの読み方があるとはいうものの、より一般的な読み方の方は、前方に示したように「ついたち」「はつか」の方であると言えるのに対して、「明日（あした／あす）」「昨日（きのう／さくじつ）」の場合には、読み方の一般性という点では、その2つの読み方の間に、認識上の相違は何ら観察されないと言えるわけである。

　したがって、このような視点を考慮して、多重読みという現象について理解していくと、多重読みの場合には、その複数の読み方において、認識度（degree of cognition）の違いがある場合と、それがない場合の2つがあるということが分かってくるようになる。つまり、上記の例においては、「一日（ついたち／いちにち）」「二十日（はつか／にじゅうにち）」の方が認識度に違いがある場合の具体事例であり、「明日（あした／あす）」「昨日（きのう／さくじつ）」の方が認識度に違いがない場合の具体事例であると言うことができる。

　一般に、このような認識度の違いという側面は、認知言語学の枠組みの中では、その読み方の定着度（degree of entrenchment: cf. Langacker 1990, 2000, 2008）という観点から、理解していくことが可能である。定着度というのは、最も端的に言えば、私たちの記憶（あるいは言語知識）の中にその読み方がどの程度定着しているかということである。したがって、「一日（ついたち／いちにち）」「二十日（はつか／にじゅうにち）」の場合には、「ついたち」「はつか」という読み方の方が、「いちにち」「にじゅうにち」という読み方よりも、その定着度が一般に高いと認識されていることを意味している。これに対して、「明日（あした／あす）」「昨日（きのう／さくじつ）」の場合には、「あした」「きのう」という読み方と、「あす」「さくじつ」という読み方が、その定着度においては、その差異が認めら

れない（すなわちその定着度が基本的に等しい）状態にあることを示していると考えられる。

　このような認識レベルの状態を、図式的に表現すれば、それは次のようにまとめることが可能である。

　（1）a.「一日」：　**ついたち**　＞　いちにち
　　　 b.「二十日」：　**はつか**　＞　にじゅうにち

　（2）a.「明日」：　あした　＝　あす
　　　 b.「昨日」：　きのう　＝　さくじつ

　（1）においては、左側の読み方の方が太字で示されているが、これはその読み方の方が一般的で、よく用いられるということを意味している。したがって、（1）においては、左側の読み方の方が、右側の読み方よりも、その定着度が高い読み方である（すなわち一般的な読み方である）と認識されていることになるので、「＞」という記号表示が、ここでは使用されているわけである。これに対して、（2）においては、太字で示された読み方が一切認識されていないわけであるので、この2つの読み方の間には、読み方としての認識上の差異は基本的にないということを、ここでは意味していることになる。したがって、（2）においては、いずれの読み方も一般的なものであり、どちらの読み方もよく用いられるものとして認識されていると考えられる。なお、（2）において使用されている「＝」の記号は、その2つの読み方が同等の定着度であることを示す目的で、ここでは使用されている。

３．漢字の誤読（読み間違い）

　ここまでは、漢字の誤読（あるいは漢字の読み間違い）としては認識されえない、漢字の多重読みについて、簡単に触れてきたが、それでは、漢字の誤読とは、いかなる現象のことを言うのであろうか。次に、この点について、考察を深めていきたい。

　一般に、政治家が漢字を読み間違えると、メディアで報道されたり、新聞に掲載されたりなどして、相当のバッシングを受けることになりかねない。一般には、そのような記憶は、もちろん個々人の頭の中に鮮明に蓄積されることとなるわけであるが、人の記憶という点に関しては、基本的に時が経過すれば薄らいでいくものであると言えるので、いずれは忘れ去られることとなるかも知れない。ところが、現代社会においては、ネットという驚異的な存在があるため、一度記録されてしまうと、それはネット上にずっと記憶されることとなり、誰もがいつでもどこからでも、その失態にアクセスできる環境が整ってしまうことになる。

　例えば、記憶に新しいところでは、麻生太郎元総理大臣は、下記の（３）の記事に記録されているように、「踏襲」を「ふしゅう」、「未曽有」を「みぞゆう」と読み間違えるという失態を演じてしまったとのことである。

（３）「踏襲」を「ふしゅう」、「未曽有」を「みぞゆう」などと漢字を誤
　　　読して話題になったのは今から１０年前、首相時代の麻生太郎氏
　　　である。

（「滴一滴」山陽新聞（2018 年 5 月 10 日））

訂正するまでもないことかも知れないが、正しくは、「踏襲」は「とうしゅう」、「未曽有」は「みぞう」と読まなければならないところを、「首相時代の麻生太郎氏」は、各々を「ふしゅう」「みぞゆう」と読み間違えてしまって、赤っ恥をかいたというわけである。

　また、これも記憶に新しいことではあるが、桜田義孝元五輪相は、国会の答弁において、漢字の誤読を繰り返してしまうことで、当時、相当の話題になったということがある。この点について、ネット上で検索してみると、国会の答弁において、宮城県にある石巻市（いしのまきし）のことを、「いしまきし」と何度も読み間違えたとのことである。くわえて、人名の誤読もあったようで、参院議員である蓮舫（れんほう）氏のことを、誤って「れんぽう」氏と何度も読み間違えるという、きわめて失礼な事態も生じたとのことである。その証拠に、下記の（４）のような記事も執筆されている。

（4）五輪相を事実上更迭された桜田義孝さんに、天地がひっくり返っているつぼを思い浮かべた▼就任以来、さほど間を置かずに問題発言を連ねてきた人である。所信説明で誤読を連発したり、五輪経費の関係の千五百億円を「千五百円」と言ったり。笑い話として聞き流せるものもある▼

（「中日春秋」中日新聞（2019年4月12日））

　上記に挙げた誤読にくわえて、（4）の記事によると、五輪経費について、「千五百億円」と読まなければならないところを、いつの間にか「億」という文字が消えて、「千五百円」と読んだというのは、記事にも指摘されるように、それ相応の笑い話として、十分に成り立っているものと考えられる。というのも、現実問題として、「千五百円」というきわめて僅かな経費で、五輪など到底開催できるわけがないからである。一般に、誤読の中には、このように大爆笑を引き起こすような誤読というものもあり、ここでの例などは、新作落語や漫才のネタにもなりそうなもので、その分だけ、その面白さがより際立ってきていると考えることができるかも知れない。

　また、（5）の記事で述べられるように、漢字の読み間違いを利用して、自虐的に自己アピールをしようとする都市もあるようである。

（5）「マイカタ」。大阪府枚方市が地名を読み間違えられることを逆手に取った自虐的なコピーで定住をＰＲし、反響を呼んでいる。

（「凡語」京都新聞（2017年11月25日））

大阪府には「枚方市」という市が存在するということは周知の通りであるが、自らの市をＰＲする目的で、正式な読み方である「ひらかた」ではなく、あえて誤読である「まいかた」を利用していることを、この記事は伝えている。このような場合には、確かに漢字の誤読と言えばそうも言えるようにも思えるが、自虐的にそれをしている、すなわち意図的にそれをしているという点では、誤読の範疇とはやや認識しにくいと言えるかも知れない。

　したがって、このような形で、漢字の誤読（あるいは漢字の読み間違い）という言語現象を考えていくと、それは、無意識の内に（すなわち非意図的に）漢字を読み間違えてしまうことであると、一般には定義するのが良さそうである。

４．変換型誤読と漂白型誤読

　前節で取り上げた漢字の誤読の具体事例をここで一括して示しておくと、それは（6）のようになる。なお、上記の（5）で提示した「マイカタ」の例に関しても、一応のところ、（6）に取り込んでいるが、ここでは、それを非意図的に読み間違えた場合を前提にしている点に注意されたい。

（6）a．踏襲：　とうしゅう　→　ふしゅう
　　　b．未曽有：　みぞう　→　みぞゆう
　　　c．石巻市：　いしのまきし　→　いしまきし
　　　d．蓮舫氏：　れんほうし　→　れんぽうし
　　　e．千五百億円：　千五百億円　→　千五百円
　　　f．枚方：　ひらかた　→　まいかた

　このような形で、漢字の誤読事例を整理してみると、少なくともそれには２つのパターンが存在していることが見えてくる。まず、1つ目のパターンとしては、完全なる漢字の読み間違いであり、これはその漢字が本来持つと認識されうる別の読み方を、無意識の内に適用してしまうというパターンでもある。これに該当しているのは、（6a）（6b）（6d）（6f）の4例であると言える。まず、（6a）では、「踏」という漢字が、音読みの「とう」から、訓読みの「ふ（む）」に変換されるという事態が生じている。次に、（6b）では、「有」という漢字が、「う」という音読みから、「ゆう」というもう1つの音読みへと変換されている。次に、（6d）では、「舫」という難しい漢字が、「ほう」という適切な読み方から、「ぽう」といった誤った読み方へと取り替えられている。そして、（6f）では、「枚」という漢字が、「ひら」という特例的な読み方から、「まい」という一般的な

読み方へと切り替えられている。

　次に、2つ目のパターンとしては、その漢語表現を読む際に、本来は必要となる読み方の要素の一部が、何らかの理由で、消え失せてしまうというパターンである。このパターンには、（6 c）（6 e）の2例がこれに該当していると言える。（6 c）では、下線で示したように、「いしのまきし」の「の」という要素が消え失せて、「いしまきし」という誤った読み方がなされる結果となっている。そして、（6 e）では、「千五百億円」の「億」という要素が消失して、「千五百円」という読み間違いが生じてしまっている。

　したがって、このような視点で漢字誤読の分類を施していくと、1つ目のパターンは、読み方の変換（conversion）に基づいて、その誤読が生じてきているので、変換型誤読（convertible misreading）と呼ぶことが可能となる。これに対して、2つ目のパターンは、読み方要素の部分的な消失、すなわち漂白化（bleaching: cf. Sweetser 1988）によって、その誤読が生じてきているので、漂白型誤読（bleaching misreading）と呼ぶことが可能である。

5．部分的誤読と全体的誤読

　一般に、大相撲の力士には、四股名（しこな）が付けられている。本名をそのまま四股名としている力士も、実際には存在しているが、ほとんどの場合は、各力士は本名とは別の四股名を持っているのが普通である。

　四股名は、基本的に漢字で構造化されているため、大相撲に詳しい人であれば、その読み方はすぐに分かるわけであるが、それに対して、大相撲に詳しくない人にとっては、その読み方にかなり困ってしまうケースも、往々にして考えられるところである。まさに、そこで生じてくる言語現象が、漢字の誤読（あるいは読み間違い）というわけである。

　令和2年初場所の時点で活躍している関取の四股名の中で、きわめてその読み方が難しいものとしては、例えば、下記のものを挙げることができる。

（7）a．阿炎

　　　b．明生

　　　c．阿武咲

　　　d．天空海

　（7）に挙げた四股名の読み方に関しては、次のように読み間違えられるのを、筆者は耳にしたことがある。まず、（7a）は、「あび」と読むのがその正しい読み方であるのであるが、普通に読んでしまえば「あえん」としか読めず、「あえん」という誤読が生じることになる。次に、（7b）は、「めいせい」という読み方が正解となるわけだが、人名のように解釈して、「あきお」と誤読してしまう可能性も考えられる。次に、（7c）は、ここに挙げたものの中でも最も難しい読み方で、正解は「おうのしょう」と読まなければならない。しかしながら、相撲に疎い人は、通常は「おうのしょう」とは読むことができず、せいぜい「あぶさき」としか読めず、誤読が生じる可能性がきわめて高いものと判断されうる。そして、（7d）は、そのまま読めば「てんくうかい」と読めて、なかなか良い四股名のように思えるかも知れないが、実際には、「てんくうかい」とは読まず、「あくあ」というのが正しい読み方となっている。したがって、この場合にも、誤読がきわめて生じやすいことが予測される。

　ここで、以上の誤読の観察を一括して整理しておくと、それは（8）のようにまとめることができる。

（8）a．阿炎：　あび　→　あえん

　　　b．明生：　めいせい　→　あきお

　　　c．阿武咲：　おうのしょう　→　あぶさき

　　　d．天空海：　あくあ　→　てんくうかい

　このように誤読事例を整理してみると、（8）において下線で示したように、漢語表現の誤読のパターンとしては、少なくとも2つのものがあることに気付かされる。1つ目のパターンは、（8a）に示されるように、

その漢語表現の一部分だけが読み間違えられるパターンである。（8 a）の「阿炎」という四股名では、「阿」の部分は読み間違えられておらず、「炎」の部分だけが読み間違えられているので、これが1つ目のパターンの代表的な例となることができる。

　次に、2つ目のパターンとしては、その漢語表現のすべてが読み間違えられるパターンである。この具体事例としては、（8 b）（8 c）（8 d）の3例を挙げることができる。いずれの事例においても、下線で表示されているように、「明生」「阿武咲」「天空海」という四股名の全体が完全に読み間違えられている点に、ここでは注目する必要がある。

　したがって、このような観点で分類を行っていくと、1つ目のパターンは、その誤読が部分的にのみ適用されているわけであるので、このようなタイプの誤読は部分的誤読（partial misreading）と呼ぶことができるように思われる。これに対して、2つ目のパターンは、その誤読がそのすべてに及んでいるわけであるので、このようなタイプの誤読は全体的誤読（full misreading）と呼ぶことが可能であるかも知れない。

6．おわりに

　本論では、漢字の誤読（あるいは漢字の読み間違い）という現象を、日常性の高い言語現象の一部として把握した上で、その背景に存在すると考えられる認知プロセスについて、主として認知言語学の観点から、簡単な考察を加えてきた。その結果、漢字の誤読には、基本的に非意図性（non-intentionality）が関与する必要があることを指摘した。また、漢字誤読の類型としては、（ i ）変換型誤読と漂白型誤読に分類できること、および（ ii ）部分的誤読と全体的誤読に分割できることの2点を明らかにした。

　最後に、本論を書いている最中に観察できた漢字の誤読を紹介して、本論を締め括りたいと考える。テレビの天気予報で、アナウンサーが「センター試験（しけん）」ということばを発そうとしたところ、思わず「センターしかん」と言ってしまい、その後すぐに、「センターしけん」と訂正したということがあった。これは原稿の読み間違いとも理解できるものであるが、その背後には、言うまでもなく、結果論としては、漢字の読み間違い

が生じているのも、また事実であろう。「試験」を「しけん」と読まず、「しかん」と読んでしまうというミスも、まさに誤読の一例である。しかしながら、この場合には、「験」という漢字には「かん」という読み方はないという点が、ここでは問題となってくる。すなわち、この場合の誤読は、完全なるうっかりミスの誤読と言うことができそうであるので、本論で紹介したものとはまた別種の誤読であると考えた方が良いのかも知れない。

　いずれにしても、誤読（あるいは読み間違い）という言語現象は、従来的な言語学の研究においては、ほとんど探求されることのなかった研究課題であると言っても過言ではない。したがって、本論の議論はまだまだ未熟な部分も多いものと考えられるが、少なくとも、これからの言語学においては、このような言語現象にも焦点を当てていく必要があるという点だけは、本論で伝えることができたものと考えている。

参考文献

Langacker, Ronald W. (1990) *Concept, Image, and Symbol: The Cognitive Basis of Grammar.* Berlin/New York: Mouton de Gruyter.

Langacker, Ronald W. (2000) *Grammar and Conceptualization.* Berlin/New York: Mouton de Gruyter.

Langacker, Ronald W. (2008) *Cognitive Grammar: A Basic Introduction.* Oxford: Oxford University Press.

Sweetser, Eve. (1988) "Grammaticalization and Semantic Bleaching." *BLS* 14: 389-405.

山梨正明 (1995)『認知文法論』東京：ひつじ書房.

山梨正明 (2000)『認知言語学原理』東京：くろしお出版.

山梨正明 (2004)『ことばの認知空間』東京：開拓社.

安原和也 (2017)『ことばの認知プロセス―教養としての認知言語学入門―』東京：三修社.

安原和也 (2018)「認知意味論」In: 今井隆・斎藤伸治［編］『21世紀の言語学―言語研究の新たな飛躍へ―』pp. 199-236. 東京：ひつじ書房.

命名と形式ブレンディング

1. はじめに

　概念ブレンディング理論（conceptual blending theory: cf. Fauconnier & Turner 2002, 2006）の研究領域では、2つ以上の別個の対象がブレンドされることで、1つの新しい実体（あるいは1つの創発的な実体）を作り上げていく認知プロセスのことを、一般に概念ブレンディング（conceptual blending）と呼んでいる。しかしながら、ここで注意する必要のあることは、ここで言うところの概念（concept）の中には、言語形式（form）の側面と意味内容（meaning）の側面の両者を含んでいるという点である。言語の基本的な構造が、言語形式と意味内容の恣意的なペアから成り立っているという記号的文法観（symbolic view of grammar: cf. Langacker 1987, 1990, 2008）の立場に立てば、この点は、ある意味では、当然のことではあるのだが、概念ブレンディング理論の枠組みの中では、この点がやや曖昧な扱いとなっているのも、また事実であると言えるであろう。したがって、本論では、言語形式の側面も、また意味内容の側面も、両方ともが概念に値するものであると考えた上で、下記の（1）に示すように、言語形式間で生じてくるブレンディング現象を形式ブレンディング（formal blending）、意味内容間で生じてくるブレンディング現象を意味ブレンディング（semantic blending）として、研究上区分することを、ここで提案しておきたいと考える。

　（1）概念ブレンディングの分類：
　　　　a．形式ブレンディング
　　　　b．意味ブレンディング

　本論では、そのうち、特に（1a）の形式ブレンディングに、その焦点

を当てたいと考えている。とりわけ、大相撲の世界で観察される四股名（しこな）の命名プロセスに関して、形式ブレンディングに基づく分析や考察を行うことで、形式ブレンディングとはいかなるものなのかについて、その理解を深めてみたいと考えている。

2．意味ブレンディングの実例

　四股名の命名プロセスに関して、形式ブレンディングの観点から分析を施していく前に、まずはごく数例ではあるが、意味ブレンディングの具体事例について、簡単に見ておきたいと考える。

　現実の日常生活の中では、2つ以上の対象がブレンドすることで、1つの新しい実体が立ち現れてくることは、ある意味で、日常茶飯事であると言っても過言ではない。例えば、ミックスジュースを思い浮かべれば、それが様々なジュースの混合体として、現実世界に登場してきていることは、誰もが認識できうるところである。今ここに、オレンジジュースとリンゴジュース、さらにブドウジュースという3種類のジュースがあると仮定する場合は、それらをどのような割合で混ぜ合わせていくかによって、様々な味わいのミックスジュースを作り出していくことが可能である（（2）参照）。

（2）オレンジジュース　＋　リンゴジュース　＋　ブドウジュース
　　　→　ミックスジュース

このようなブレンディングは、通常は、実際の現実世界で生じてくる物理レベルのブレンディングであると一般には理解されうるものであるので、このようなタイプのものは物理的ブレンディング（physical blending）と呼ぶことができるかも知れない。

　しかしながら、人間の優れたところは、このようなブレンディングの認知プロセスを、現実の物理世界だけではなく、頭の中でイメージ的に行うということも現実的には可能であるという点が、ここでは特に注目されなければならない。すなわち、物理レベルのブレンディングにくわえて、心

理レベルのブレンディングも、人間は行うことができるのである。本論では、頭の中で仮想的に行われる、このようなブレンディングの認知プロセスのことを、物理的ブレンディングとは区分して、心理的ブレンディング（psychological blending）と呼称しておきたいと考えている。そして、ここで言うところの心理的ブレンディングのことが、要するには、前節で述べた概念ブレンディングに相当してくるものとして、ここでは理解されることになるのである。したがって、以上の考察の要点を簡潔にまとめれば、下記の（3）のように整理することが可能となる。

（3）ブレンディングの認知プロセス：
    Ａ．物理的ブレンディング
    Ｂ．心理的ブレンディング（＝概念ブレンディング）
      ａ．形式ブレンディング
      ｂ．意味ブレンディング

　それでは、意味ブレンディングには、どのような実例があると言えるのであろうか。これらの実例に関しては、概念ブレンディング理論の基礎文献の中で（cf. Fauconnier & Turner 2002, 2006; Turner 1996, 2001, 2014; Coulson 2001; Yasuhara 2012; 安原 2017）、多種多様な具体事例が議論されているので、具体的にはそちらを参照されたいと思う。とはいえ、その具体事例をここで何も提示しないのも、本論での議論上においては、やや支障が出てくるものと思われるので、ここではごく簡単な具体事例を、いくつか紹介しておきたいと考える。

　まず、先ほどのミックスジュースの例であるが、先ほどの説明では、そのブレンド作業が現実の物理空間で行われるという点が強調されたように思われる。しかしながら、そのようなブレンド作業が頭の中でイメージ的に行われた結果として、頭の中にミックスジュースのイメージが想起されたという場合には、物理的ブレンディングになっているとは言うことができないであろう。すなわち、このような場合は、結果としてでき上がったミックスジュースは概念レベルのものでしかなく、その証拠に、実際に飲

むことなどもできないわけであるので、心理的ブレンディング、あるいは
より厳密に言えば、意味ブレンディングになっていると、ここでは理解さ
れなければならないと言える。

　同様の例は、空想世界、すなわち現実には存在しないものを頭の中で構
築していく際にも、意味ブレンディングという認知プロセスは、きわめて
重要な役割を果たすことが可能である。例えば、翼を持った馬のイメージ
を喚起させる「ペガサス」という架空の生き物について考えれば、これ
は「鳥」のイメージと「馬」のイメージを頭の中でブレンドさせることで、
そのような「ペガサス」のイメージを作り出している点に、ここでは注目
してもらいたい。また、映画『となりのトトロ』（監督：宮崎駿）の中には、「ネ
コバス」という乗り物が登場してくるが、これも、「ネコ」のイメージと「バ
ス」のイメージを頭の中で掛け合わせることによって、そのイメージが創
発してきているものと考えることができる。ここで一例として挙げた「ペ
ガサス」にしても、「ネコバス」にしても、そのいずれもが、意味ブレンディ
ングによる架空世界の構築、すなわち頭の中でのイメージのブレンド操作
によって、このような新規の創発概念が飛び出してきているところに、こ
こでは特に注目する必要がある。

３．形式ブレンディングの分類

　四股名の命名プロセスに関して、形式ブレンディングの観点から分析を
施してみると、それには少なくとも２つのパターンがあることに気付かさ
れる。それらは、下記の（４）に示されるように、非圧縮型形式ブレンディ
ング（noncompression-based formal blending）と圧縮型形式ブレンディ
ング（compression-based formal blending）の２つである。

　（４）形式ブレンディングの分類：
　　　　a．非圧縮型形式ブレンディング
　　　　b．圧縮型形式ブレンディング

　（４ａ）の非圧縮型形式ブレンディングとは、その形式ブレンディング

の認知プロセスにおいて、圧縮（compression）と呼ばれる操作が見られないタイプのものを意味している。これに対して、（4ｂ）の圧縮型形式ブレンディングとは、（4ａ）とは真逆で、その形式ブレンディングの認知プロセスにおいて、圧縮と呼ばれる操作が見られるタイプのことを意味している。

　圧縮というのは、最も端的に言えば、形式ブレンディングの認知プロセスが適用される際に、インプットレベルでは別個の要素であったものが、ブレンドレベルでは1つの実体として認識される状態のことを指して、ここでは用いられている。例えば、下記の（5）に観察される形式ブレンディングについて、ここで検討してみよう。

　（5）ａ．あいう　＋　えお　→　あいうえお
　　　　ｂ．あい<u>う</u>　＋　<u>う</u>えお　→　あいうえお

　（5ａ）では、「あいう」と「えお」という2つのインプット（input）が組み合わされて、「あいうえお」というブレンド（blend）を構造化しているが、ここでは下線がどこにも引かれていないように、インプット間にそもそも重複要素が存在していないので、圧縮というプロセス自体も、この場合には自然と影をひそめてしまうのである。したがって、（5ａ）の形式ブレンディングは、非圧縮型形式ブレンディングとして理解されることとなる。これに対して、（5ｂ）では、「あいう」と「うえお」という2つのインプットが組み合わされて、「あいうえお」というブレンドが創発されてきているが、この場合には、下線で示したように、両インプット間において「う」という重複要素が認識されるとともに、それがブレンドレベルでは1つの「う」に集約されることになっているので、このような場合の形式ブレンディングは、圧縮型形式ブレンディングと呼ぶことが可能である。

　なお、下記の（6）に示したように、「あいう」と「うえお」という（5ｂ）とまったく同じ2つのインプットから、もしも仮に「あいううえお」というブレンドが生じてきた場合には、両インプット間において「う」という

重複要素が認識されるものの、ブレンドレベルにおいては、それが1つの実体としては確立されてきてはいないため、このような場合には、圧縮型形式ブレンディングではなく、非圧縮型形式ブレンディングとして理解されてくる点には、ここで注意を要するところである。

（6）あいう　＋　うえお　→　あいううえお

　以下では、四股名の命名に関わる形式ブレンディングの認知プロセスについて、その具体事例を指摘しておきたいと考えている。まず、第4節では、非圧縮型形式ブレンディングの命名プロセスについて、続く第5節では、圧縮型形式ブレンディングの命名プロセスについて、その具体事例を紹介してみたいと思う。

4．非圧縮型形式ブレンディング
　第71代横綱として知られている双羽黒（ふたはぐろ）は、2人の横綱、すなわち第35代横綱である双葉山（ふたばやま）と第36代横綱である羽黒山（はぐろやま）から、その名前をもらっている。この点は、下記の（7）の記述からも、明らかである。

（7）横綱昇進後、<u>四股名を北尾から双羽黒に変えた</u>。部屋は、双葉山、
　　　羽黒山の大横綱を生んだ名門立浪（たつなみ）部屋である。師匠立
　　　浪親方（元・安念山、のち二代目羽黒山）の期待を受け、<u>双葉山と</u>
　　　<u>羽黒山から字をもらった</u>のである。
　　　　　　　　　　（大下英治『不屈の横綱 小説 千代の富士』祥伝社 2016 年 p. 383
　　　　　　　　　　　　　　　　　　　　　　　　　　［下線は筆者による］）

　ここで行われている四股名の命名プロセスには、（8）に示したように、非圧縮型形式ブレンディングが関与していると分析することができる。

（8）**双葉**山（ふたばやま）　＋　**羽黒**山（はぐろやま）

→ **双羽黒**（ふたはぐろ）

すなわち、「双葉山」と「羽黒山」を２つのインプットとして認識した上で、「双葉山」からは「双」の１字を、「羽黒山」からは「羽黒」の２字をもらうことで、「双羽黒」という新しい四股名の命名に至っているものと考えることができる。（８）では、太字で示した文字が、ここで焦点化（あるいはプロファイル（profile））された文字であること、すなわちブレンドの構築に関与してくる文字として認識されていることを示している。（８）に示した四股名の命名プロセスから分かるように、ここではブレンドレベルにおいて重複文字の圧縮は観察されないと言えるので、ここでは非圧縮型形式ブレンディングが適用されていることが、一般に判断できることとなる。

　次に、豪栄道（ごうえいどう）と名付けられた力士について、考えてみることにしよう。この四股名は、（９）に述べられているように、ここでは３つのインプットをベースとした上で、そのブレンドである四股名が構造化されてきている。

（９）境川親方と山田監督が相談して、「**豪**」は本名の豪太郎、「**栄**」は
　　　母校の埼玉**栄**高校、「**道**」はお世話になった山田**道**紀監督の名前か
　　　ら、それぞれ一文字ずつとって、つけていただいた名前です。

（豪栄道豪太郎『すもう道まっしぐら！』集英社みらい文庫 2017 年

pp. 151-152［太字は原文通り］）

　すなわち、この場合には、（10）に示すような形式ブレンディングが、ここでは行われているものとして解釈することができる。

（10）**豪**太郎（ごうたろう）　＋　埼玉**栄**高校（さいたまさかえこうこう）
　　　＋　山田**道**紀監督（やまだみちのりかんとく）
　　　→　**豪栄道**（ごうえいどう）

　１つのインプットは本名である「豪太郎」から「豪」の１字を、もう１つのインプットは出身校である「埼玉栄高校」から「栄」の１字を、さらにもう１つのインプットは出身校の相撲部での恩師である「山田道紀監督」から「道」の１字をもらい受ける形で、これらをつなぎ合わせて、ブレンドとして認識される「豪栄道」という四股名が完成するに至っている。したがって、この場合にも、ブレンドレベルにおいては、重複文字の圧縮は何も観察されないと言えるので、ここでも非圧縮型形式ブレンディングの認知プロセスが活用されていると考えることができる。

　しかしながら、豪栄道の命名プロセスの場合は、双羽黒の命名プロセスとは異なる側面も有しているという点は、ここで見逃すわけにはいかない。すなわち、文字レベルで見れば、双羽黒にしても、豪栄道にしても、その命名プロセスは、単なる文字の組み合わせだけであると考えられるかも知れない。ところが、音声レベルで考えると、両者には、かなり明確な違いが観察されると言わなければならない。

　双羽黒の場合には、先の（８）に示されているように、その読み方についても、そのままのものがインプットからブレンドへと投射されていると考えることができる。したがって、「双羽黒」という四股名の読み方は、そのまま「ふたはぐろ」と読まれることとなる。

　しかしながら、豪栄道の場合は、もしもそのままの読み方をインプットからブレンドへと投射してしまうと、「ごうさかえみち」という四股名の読み方となり、実際の読み方である「ごうえいどう」とは、似ても似つかない読み方となってしまうのである。したがって、このような場合には、漢字の読み替え（conversion）という認知プロセスが、ここでは関与してくるものと理解されなければならない。すなわち、（11）に示されているように、真ん中の「栄」という漢字は、「さかえ」という訓読みから「えい」という音読みへと変換され、最後の「道」という漢字も、「みち」という訓読みから「どう」という音読みへと変換されなければならないのである。

（11）a．栄：　さかえ［訓読み］　→　えい［音読み］
　　　　b．道：　みち［訓読み］　→　どう［音読み］

　このような漢字の読み替えプロセスを前提にしていくと、「豪栄道」という文字列には、結果的に、「ごうえいどう」という音声が付与され、実際の四股名の読み方とも一致するようになると言える。したがって、以上の考察から理解できるように、四股名の命名プロセスにおいては、漢字の読み替えという認知プロセスも、場合によっては、関与する場合があるものと考えられる。そして、まさにそれに該当しているのが、ここで示した豪栄道の命名プロセスであると言うことができる。

５．圧縮型形式ブレンディング

　第 58 代横綱として知られている千代の富士（ちよのふじ）という四股名も、２人の横綱から、その名前をもらっている。すなわち、第 41 代横綱である千代の山（ちよのやま）と第 52 代横綱である北の富士（きたのふじ）を掛け合わせる形で、千代の富士（ちよのふじ）という四股名が、ここに誕生してきている。この点は、下記の（12）の記述からも、まったく明らかであると言える。

（12）貢は、千代の富士という言葉を聞いた瞬間に気に入った。
　　　〈いい四股名だ。千代の山の千代と、北の富士の富士を合わせた名前だ。ふたりの横綱の四股名をもらえるなんて、これは、すごいぞ〉
　　　　　　　（大下英治『不屈の横綱 小説 千代の富士』祥伝社 2016 年 pp. 189-190
　　　　　　　　　　　　　　　　　　　　　　　　　　　　　[下線は筆者による]）

　ここで行われている四股名の命名プロセスには、（13）に示したように、圧縮型形式ブレンディングが適用されていると分析することができる。

（13）**千代の山**（ちよのやま）　＋　**北の富士**（きたのふじ）
　　　→　**千代の富士**（ちよのふじ）

　すなわち、「千代の山」と「北の富士」を２つのインプットとして認識した上で、「千代の山」からは「千代の」という前方の３字を、「北の富

士」からは「の富士」という後方の３字をもらい受ける形で、「千代の富士」という斬新な四股名の命名に至っているものと理解することができる。ただし、ここで注意を要するのは、その四股名の命名プロセスにおいては、（13）に示されているように、両インプット間に「の」という部分において文字の重複が見られるという点である。つまり、両インプット間に見られる「の」という平仮名が、ここでは、ブレンドレベルにおいて１つのものとして認識される状態になっていると考えることができるので、この場合には、非圧縮型形式ブレンディングではなく、圧縮型形式ブレンディングがここでは機能していることが分かるようになる。

　なお、（13）においては、漢字の読み替えという認知プロセスは不要となっており、「千代の」と「の富士」を合成して「千代の富士」という文字列を作り出すことで、その音声もそのまま継承されているものと理解することができる。すなわち、「千代の富士」という四股名は、そのまま「ちよのふじ」と読むことになるのである。

　もう１つだけ、圧縮型形式ブレンディングの具体事例を、ここで紹介しておこう。それは、第61代横綱として知られる北勝海（ほくとうみ）という四股名の命名プロセスである。この四股名の命名プロセスをとりあえず図式的に表示するとすれば、それは（14）のようにまとめることが可能である。

（14）北（ほく）　＋　勝（とう）　＋　海（うみ）
　　　→　北勝海（ほくとうみ）

　ここでは、漢字のインプットが３つ必要とされてくる。１つは「北」という漢字、もう１つは「勝」という漢字、そしてさらにもう１つは「海」という漢字である。そして、これらの漢字が、ここでは各々のインプットとして認識されて、それらが合成されていくことで、ブレンドレベルにおいて「北勝海」という四股名の文字列が完成することとなる。

　しかしながら、「北勝海」という四股名の文字列の構造化に関しては、このような形で、その四股名が仕上がってくるものと考えられるが、その

反面、この四股名をどう読むべきかという読み方については、ここでは少し気を付ける必要がある。この場合には、(14) に示したように、「北」という漢字については「ほく」という読み方が、「勝」という漢字については「とう」という読み方が、そして「海」という漢字については「うみ」という読み方が、ここでは選択されているものと考えられる。しかしながら、「北勝海」という四股名の読み方に関しては、これらをただ単につなげて「ほくとううみ」とするのではなく、(14) に下線で示されているように、インプット間に観察される「う」という音声の連続を、ブレンドレベルでは「う」という1音に切り替えて発音することが、ここでは行われている点に注意する必要がある。すなわち、「北勝海」という四股名に対して、ただ単に「ほくとううみ」という読み方を付与するのであれば、それは非圧縮型形式ブレンディングの具体事例となるわけであるが、ここでは、その四股名に対して、「ほくとうみ」という読み方を付与している点で、これは圧縮型形式ブレンディングの具体事例として、一般に認識されうることになるのである。要するには、もっと簡単に言えば、ブレンドレベルにおいて、「う」音の圧縮が見られるからこそ、北勝海（ほくとうみ）という四股名の命名プロセスには、圧縮型形式ブレンディングが関与していると理解することができるのである。

6．おわりに

　本論では、大相撲の世界で観察される四股名の命名プロセスに主として着目しながら、形式ブレンディングと呼ばれる認知プロセスがいかなるものであるのかについて、簡単に議論してきた。その結果、(i) 形式ブレンディングは概念ブレンディングの一種であると認識されうること、(ii) 形式ブレンディングには非圧縮型形式ブレンディングと圧縮型形式ブレンディングと呼ばれる2つのタイプが存在すること、および (iii) 四股名の命名プロセスには形式ブレンディングの関与が顕著に認められることの3点が、主として明らかになったと考えられる。

　概念ブレンディング理論の研究領域では、形式ブレンディングに関わる議論はある意味で控え目であるとも言うことができるが、本論で探求して

きたように、その内実を丹念にたどって見ると、そこにはそれなりの奥深さをも感じるところがあるようにも思われる。このような意味では、今後の研究においては、形式ブレンディングに関わる議論も、なお一層活発化してくることが、大いに期待されるところである。

参考文献

Coulson, Seana. (2001) *Semantic Leaps: Frame-Shifting and Conceptual Blending in Meaning Construction.* Cambridge: Cambridge University Press.

Fauconnier, Gilles, and Mark Turner. (2002) *The Way We Think: Conceptual Blending and the Mind's Hidden Complexities.* New York: Basic Books.

Fauconnier, Gilles, and Mark Turner. (2006) "Mental Spaces: Conceptual Integration Networks." In: Dirk Geeraerts (ed.), *Cognitive Linguistics: Basic Readings*, pp. 303-371. Berlin/New York: Mouton de Gruyter.

Langacker, Ronald W. (1987) *Foundations of Cognitive Grammar, Vol.1: Theoretical Prerequisites.* Stanford: Stanford University Press.

Langacker, Ronald W. (1990) *Concept, Image, and Symbol: The Cognitive Basis of Grammar.* Berlin/New York: Mouton de Gruyter.

Langacker, Ronald W. (2008) *Cognitive Grammar: A Basic Introduction.* Oxford: Oxford University Press.

Turner, Mark. (1996) *The Literary Mind: The Origins of Thought and Language.* Oxford: Oxford University Press.

Turner, Mark. (2001) *Cognitive Dimensions of Social Science: The Way We Think about Politics, Economics, Law, and Society.* Oxford: Oxford University Press.

Turner, Mark. (2014) *The Origin of Ideas: Blending, Creativity, and the Human Spark.* Oxford: Oxford University Press.

Yasuhara, Kazuya. (2012) *Conceptual Blending and Anaphoric Phenomena: A Cognitive Semantics Approach.* Tokyo: Kaitakusha.

安原和也 (2017)『ことばの認知プロセス―教養としての認知言語学入門―』東京：三修社．

擬人化／非擬人化と半擬人化

1．はじめに

　認知言語学（あるいは認知意味論）の領域では、メタファー（metaphor）に関する研究は、Lakoff & Johnson (1980) の刊行以降、かなり活発な議論が展開されてきたものと考えられる（cf. Lakoff 1987; Lakoff & Johnson 1999; Kövecses 2002, 2005; 山梨 1988/2007; 瀬戸 1995, 2017; 谷口 2003; 楠見［編］2007; 鍋島 2011, 2016）。様々な興味深い事例観察が提示されるとともに、様々な理論的枠組みも提唱され、認知言語学における１つの主要研究トピックを構成するまでになったと言っても過言ではない。

　メタファーと一口に言っても、現実の言語使用においては、それには様々なタイプのものが存在しており、様々な切り口でそのような現象が、今日では分析されるに至っていると考えることができる。本論では、その中でも、擬人化（personification）と呼ばれるメタファー現象に焦点を当てて、以下の議論を進めてみたいと考えている。擬人化とは、周知のように、通常はヒトとしては認識されないものを、ヒトに見立てることによって、その構造化を成立させるメタファーのことであると、一般には定義されている（cf. 山梨 1988/2007; 安原 2017）。すなわち、より端的に表現するならば、ヒト認識でないものを、ヒト認識に切り替える（あるいは変換する）認知プロセスが、要するには擬人化であるとも言うことが可能である。

　本論では、次のような形で、その議論を展開したいと考える。まず、擬人化ではない言語現象をいくつか提示することで、擬人化ではないということはどういうことなのかについて、その考察を深めてみたいと考えている。次に、擬人化の認知プロセスが適用されているものとして認識されうる具体事例について取り上げ、擬人化と呼ばれる認知プロセスの基本事項を確認したいと考える。そして最後に、擬人化とは認識されえない言語現

象と擬人化として認識されうる言語現象の中間に位置づけられるものとして想定されうる、半擬人化（semi-personification）と称される言語事例について議論し、それらの中間体の存在を本論では明らかにしてみたいと考えている。

　なお、本論では、擬人化とは認識されえない状態のことを非擬人化（non-personification）、擬人化として認識されうる状態のことを擬人化、そして、その中間体となりうる状態のことを半擬人化と呼び分けて、以下の議論を展開することにしたい。したがって、本論での擬人化の程度分類をあらかじめ提示しておけば、それは（1）のように整理することができる。

（1）擬人化の程度分類：
　　　ａ．非擬人化（non-personification）
　　　ｂ．半擬人化（semi-personification）
　　　ｃ．擬人化（personification）

２．非擬人化の具体事例

　先に述べたように、非擬人化とは、擬人化とは認識されえない状態のことを、一般に意味している。したがって、この場合には、ヒト認識でないものを、ヒト認識に切り替える（あるいは変換する）といった認知プロセス自体が、そもそも関与しない状態であることを意味していると言ってもよい。

　例えば、（2）の事例について、ここで考えてみることにしよう。

（2）太郎：今日は本当に良い天気ですね。
　　　花子：そうですね。毎日、このような天気だと良いんですがね。

　この事例では、その文脈から推測する限りにおいては、太郎と花子がただ単に対話している状態が認識されてくるものと考えられる。したがって、この場合には、太郎にしても、花子にしても、ヒト認識を有する要素として理解されうるので、ここでは、ヒトとヒトが対話するという文脈が構造

化されているものとして、一般に解釈されることとなる。すなわち、この場合には、話し手も聞き手もともにヒト認識を有することとなっているので、結果的に見れば、この対話文脈は非擬人化の状態になっているものとして理解されうると言えるのである。

同様のことは、（３）の事例についても、当てはめることが可能である。

（３）「初日だから大田君は六本でいいよ。タイムも七十八くらいで」と上原先生に言われたことで、「お前、俺馬鹿（ばか）にしてんの？なんでこいつらよりレベル落とさなきゃいけねえんだよ」と大田のやる気は倍増し、僕たちと同じメニューをこなしたのだ。

（瀬尾まいこ『あと少し、もう少し』新潮文庫 2018 年 pp. 46-47）

この事例では、この文脈の登場人物として認識される「上原先生」と「大田」という２人の人物が対話する様子が、第三者の視点から描かれているものと考えられる。ここでは、第三者の視点というのは、とりあえず脇に置いておくこととして、その対話そのものを主として問題にしたいので、そこの部分だけを取り出して、表記してみると、それは（４）のようになる。

（４）上原先生：「初日だから大田君は六本でいいよ。タイムも七十八くらいで」
　　　大田：「お前、俺馬鹿（ばか）にしてんの？　なんでこいつらよりレベル落とさなきゃいけねえんだよ」

（４）のような形で、その対話を取り出してみると、「上原先生」と「大田」という２人の人物がここで行ったという対話は、より鮮明な形で認識されてくるものと考えられる。すなわち、ここでも、「上原先生」「大田」ともに、ヒト認識を有する要素として認識されてきているので、（４）の文脈は、ヒトとヒトの対話として、一般に理解されてくるようになるのである。したがって、この場合の文脈においても、最終結果としては、非擬人化の状態が形成されてきていると理解していくことができる。

　このような形でその考察を深めていくと、対話文脈に関する限りにおいては、非擬人化という状態は、要するには、ヒトとヒトが対話している状態であると、ここでは把握することが可能となる。したがって、より一般化して言うならば、非擬人化の状態とは、ヒトがヒトとして理解される認識状態のことであると、一般には理解することができるかも知れない。

3．擬人化の具体事例

　擬人化の認知プロセスとは、先にも述べたように、ヒト認識でないものを、ヒト認識に切り替える（あるいは変換する）認知プロセスのことを、一般に意味している。ここで言うところの「ヒト認識でないもの」とは、より具体的に言うならば、ヒトとしては通常認識されえない動物や植物などの生物、および日常レベルに具体的あるいは抽象的に存在していると言える事物（つまりモノやコト）などのことを指している。したがって、擬人化として認識されうる状態であると言えるのは、このような「ヒト認識でないもの」が、ヒトとして認識されるようになる状態のことを、一般に意味していると考えることができる。

　まず、生物が擬人化される具体的な一例としては、「うさぎとかめ」というタイトルで知られる童謡を挙げることが可能である。

（5）「もしもし、かめよ、かめさんよ、
　　　せかいのうちに、<u>おまえ</u>ほど、
　　　あゆみの、のろい、ものはない
　　　どうして、そんなに、のろいのか。」

　　　　　（「うさぎとかめ」（作詞：石原和三郎）（堀内敬三・井上武士［編］
　　　　　『日本唱歌集』岩波文庫 p. 106）［下線は筆者による］）

　この事例は、「うさぎとかめ」という童謡の 1 番であるが、ここでは、話し手である「うさぎ」が聞き手である「かめ」に対して、ことばを発するという認識の下で、その歌詞が構造化されている。この点は、下線で示した「おまえ」という代名詞が、この文脈下では、具体的には「かめ」の

ことを指示していることからも、一目瞭然であると言える。

　このような「うさぎ」の挑発に対して、「かめ」は、「うさぎとかめ」という童謡の２番の歌詞の中で、次のように、「うさぎ」に対して挑戦をもちかけることになる。

（６）「なんと、おっしゃる、うさぎさん、

　　　そんなら、<u>おまえ</u>と、かけくらべ、

　　　むこうの小川の、ふもとまで、

　　　どちらが、さきに、かけつくか。」

（「うさぎとかめ」（作詞：石原和三郎）（堀内敬三・井上武士［編］
『日本唱歌集』岩波文庫 p. 106）［下線は筆者による］）

　この２番の歌詞においては、話し手と聞き手の関係が、ちょうど（５）の歌詞とは正反対となっている点に、ここでは注目してほしい。すなわち、１番の歌詞（すなわち（５））においては、話し手が「うさぎ」で、聞き手が「かめ」であったのに対して、２番の歌詞（すなわち（６））においては、その関係が逆転し、話し手が「かめ」で、聞き手が「うさぎ」となっているのである。したがって、（６）の歌詞に登場してきている「おまえ」という代名詞も、先ほどの解釈とは異なり、この場合には、「うさぎ」のことを指示しているものとして解釈していかなければならなくなっている。

　以上の考察を踏まえて考えていくならば、「うさぎとかめ」という童謡においては、ヒトとヒトが対話しているという状態ではなく、厳密に言えば、動物と動物が対話している、それも異種の動物間で対話が行われているという状況が構築されていることとなる。したがって、このような場合には、ヒトが本来行うべき対話という行為を、動物に対して適用していることになるので、ここでは、動物をヒトに喩えるという擬人化の認知プロセスが関与してきていることは、かなり明らかであると言わなければならない。つまり、（５）や（６）で生じている状態が、まさに擬人化の状態であると、ここでは判断していくことができるのである。

　もう１つだけ、擬人化の具体事例を、ここで提示しておこう。先ほどは、生物が擬人化された事例であったが、下記の（7）は事物（より具体的にはモノ）が擬人化された事例となっている。

（7）キーボードがしくしく泣いている。モニターが同情してきた。
　　　──なにがあったのさ？
　　　──ああ、もういやよ。ここにいると、叩かれっぱなしなんだもの。
　　　　　　　　（野内良三『ユーモア大百科』国書刊行会 2004 年 p. 159）

　キーボードがしくしく泣くのも、モニターが同情するのも、その時点で、擬人化の状態が既に生じていることは、まさに明らかであると言えるかも知れない。しかしながら、それにくわえて、ここでは、キーボードとモニターの対話文脈も登場してきているのである。キーボードとモニターは、通常であれば、ヒト認識など持たず、モノ認識を有しているものとして解釈されなければならない。ところが、ここでは、モニターがキーボードに「なにがあったのさ？」と問いかけ、それに反応して、キーボードはモニターに対して、「ああ、もういやよ。ここにいると、叩かれっぱなしなんだもの。」と答えていくのである。これは、まさに、キーボードとモニターの対話が行われている状態に該当しており、つまりは、ここでも、擬人化の認知プロセスが関与的に機能していることが分かることとなる。すなわち、この場合には、キーボードとモニターが、本来のモノ認識から、ヒト認識へと完全に変換されることで、キーボードとモニターの対話文脈という擬人化の状態を作り出しているのである。
　このように、擬人化の認知プロセスにおいては、本来ヒト認識でないものが、ヒト認識に切り替えられる（あるいは変換される）ことによって、その結果として、擬人化の状態が生じてきていることを、ここでは確認することができる。したがって、擬人化の状態というのは、ヒトでないものがヒトとして認識される状態のことであると、一般には理解していくことが可能である。

４．半擬人化の具体事例

　半擬人化とは、非擬人化と擬人化のちょうど中間体として認識される状態のことを、一般に意味している。したがって、ヒトとしては認識されていないと考えられる反面、ヒトとして認識される側面も持ちうるという、まさに中間状態の状況が、半擬人化の一大特徴であると言えるかも知れない。

　まず、生物が半擬人化される具体的な一例としては、「かたつむり」というタイトルで知られる文部省唱歌を指摘することができる。

（８）でんでん虫々　かたつむり、

　　　お前のあたまは　どこにある。

　　　角だせ槍だせ、あたまだせ。

（「かたつむり」（文部省唱歌）（堀内敬三・井上武士［編］
『日本唱歌集』岩波文庫 p. 164）［下線は筆者による］）

　ここでは、下線で示したように、「お前」という代名詞が用いられているが、この代名詞は、通常の観点から言えば、ヒト認識の要素を指示する代名詞であると考えることができる。しかしながら、ここで実際に指示されているものは、本来的にヒト認識を有する要素ではなく、本来的には動物認識（あるいはモノ認識）として理解される「かたつむり」であるという点に、ここでは注意しなければならない。したがって、このような意味で解釈していくと、ここでの「かたつむり」は擬人化の状態にあるというように、場合によっては、考えられてしまうかも知れない。ところが、この歌詞が描いている状況は、そこに１人のヒトと１匹の「かたつむり」が存在していて、ヒトが「かたつむり」に話しかけているといった状況があるものと推測される。つまり、この場合には、ヒトは話し手として理解され、「かたつむり」は聞き手として理解されるわけではあるが、その一方で、ここでの「かたつむり」は必ずしもヒトとしては認識されておらず、ヒトに話しかけられてはいるが、動物認識（あるいはモノ認識）としての「かたつむり」を維持しているという状況にあるものと理解されなければなら

ないと言える。したがって、このような場合には、「かたつむり」は、ヒト認識を持つように思わせられながら、実際にはヒト認識を持てない状態にあるという意味で、ここで言うところの半擬人化の状態にあると考えるのが妥当なように思われるのである。というのも、この文脈下においては、「かたつむり」は、その話しかけられているヒトに対して、何も言い返すことができず、そのまま動物の状態としてじっとしているだけであるので、ここではヒトから「かたつむり」への一方的な話しかけしか行われていないと言えるからである。

　同様のことは、（9）についても言うことができる。

（9）山よ！山よ　お岩木山よ
　　　あの娘のかわりに　聞いてくれ

　　　　　　（三山ひろし「お岩木山」（作詞：千葉幸雄、作曲：中村典正）より）

　この歌詞の文脈では、ある1人のヒトがいて、その眼前に広がるお岩木山に対して、「山よ！山よ」と呼びかけている状況が、頭の中に想起されてくるはずである。この場合、「山よ！山よ」と呼びかけているヒトが話し手であって、その眼前に展開される山は聞き手として、ここでは把握されるに至っている。したがって、この場合にも、擬人化の状態がそこには認識されうるものと、場合によっては、判断されてしまうかも知れない。しかしながら、この文脈下では、残念ながら、「山よ！山よ」といくら呼びかけたとしても、その山はその話し手に対して何も答えてくれないという側面が、ここでのポイントとなってくるように思われる。すなわち、この場合にも、山という実体は聞き手として存在している以上、ヒト認識を付与されているように考えられるかも知れないが、実際には、単なる物理的存在（すなわちモノ認識）としての山であるとしか、ここでは認識されていないわけである。したがって、このような状況を勘案していくと、この場合にも、ヒトから山への一方的な話しかけだけが行われていることになるので、この文脈に関しても、半擬人化の状態になっていると理解していくことができる。

　なお、大変興味深い事例が見つかったので、半擬人化の具体事例を、ここでもう1つだけ、追加しておこう。この場合も、先ほどと同様に、事物（より具体的にはモノ）が半擬人化された事例となっている。

（10）海よ、僕らの使う文字では、お前の中に母がいる。
　　　（三好達治『測量船』青空文庫［新仮名遣いへの変換および下線は筆者による］）

　下線で示されたように、この文脈には、「お前」という2人称代名詞が登場してきている。これが何を指示しているのかと問われれば、その文脈から推測する限りにおいては、冒頭にある「海」という漢字（あるいは文字）のことを指示しているものと、ここでは考えることが可能である。したがって、「海」という漢字（あるいは文字）が、大胆にも「お前」と呼ばれているわけであるので、このような場合には、擬人化が関与しているようにも思われてくるかも知れない。しかしながら、この文脈をじっくりと観察していくと、必ずしもそうではないように思われてもくる。すなわち、先ほどと同じように、この文脈下でも、「海よ」という呼びかけが行われているのであるが、残念ながら、「海」という漢字（あるいは文字）はそれに対して返答をしてくれるわけでもないわけである。つまり、「海」という漢字（あるいは文字）は、ここでは聞き手としての役割を果たしていて、ヒト認識も付与されているように見えるのであるが、実際にはそうではなく、「海」という漢字（あるいは文字）は漢字（あるいは文字）そのものとしてしか、ここでは認識されていないと言えるのである。したがって、このような状況を認識していくと、この場合にも、ヒトから漢字（あるいは文字）への一方的な話しかけが行われているだけのことであるので、ここでの文脈も、半擬人化の状態にあるのであって、擬人化の状態にまでは至っていないと言わざるを得なくなってしまうのである。
　　このように、半擬人化の認知プロセスにおいては、ヒト認識が見え隠れしているのは確かであるのだが、実際のところはヒト認識が付与されない状態となっているところに、その重要な特徴付けがあると言わなければならない。したがって、半擬人化の状態というのは、非擬人化と擬人化の、

まさに中間段階にある状態であると、一般には理解していくことが可能である。

5．おわりに

　本論では、擬人化の程度分類として認識されうる、非擬人化／半擬人化／擬人化という３タイプについて、その具体事例を挙げつつ、これらの相違点について簡潔に議論してきた。非擬人化とは擬人化とは認識されえない状態のことを、擬人化とは擬人化として認識されうる状態のことを、一般に意味している。そして、非擬人化と擬人化の中間に位置づけられるのがまさに半擬人化であり、これは、ヒトとして認識される側面がありつつも、実際にはヒトとしては認識されていない状態のことを意味している。

　したがって、このような擬人化の程度分類を前提にして考えていくと、そこには連続性（continuum）というものが存在するということが分かってくるようになる。すなわち、下記の（11）に示したように、非擬人化から半擬人化へと進むにしたがって、また半擬人化から擬人化へと進むにしたがって、その擬人化度（degree of personification）は徐々に高まってくるという現象が、そこには生じてきていると言えるのである。

（11）擬人化度のスケール：
　　　　非擬人化　→　半擬人化　→　擬人化

　認知言語学の領域では、メタファーの研究は、依然として、その重要な研究トピックの１つとして、広範に認識されている。その意味では、研究しつくされた感もないわけではないが、それでも、まだまだ議論の矛先はいくらでも開拓されうる余地を残していると言わなければならない。本論においても、特に擬人化という側面に関して、その１つの新しい視点を提供することができたものと考えている。今後のメタファー研究のさらなる展開と発展を祈りつつ、本論を締め括りたいと思う。

参考文献

Kövecses, Zoltán. (2002) *Metaphor: A Practical Introduction.* Oxford: Oxford University Press.

Kövecses, Zoltán. (2005) *Metaphor in Culture: Universality and Variation.* Cambridge: Cambridge University Press.

楠見孝［編］(2007)『メタファー研究の最前線』東京：ひつじ書房.

Lakoff, George. (1987) *Women, Fire, and Dangerous Things: What Categories Reveal about the Mind.* Chicago: The University of Chicago Press.

Lakoff, George, and Mark Johnson. (1980) *Metaphors We Live By.* Chicago: The University of Chicago Press.

Lakoff, George, and Mark Johnson. (1999) *Philosophy in the Flesh: The Embodied Mind and its Challenge to Western Thought.* New York: Basic Books.

鍋島弘治朗 (2011)『日本語のメタファー』東京：くろしお出版.

鍋島弘治朗 (2016)『メタファーと身体性』東京：ひつじ書房.

瀬戸賢一 (1995)『メタファー思考』東京：講談社.

瀬戸賢一 (2017)『よくわかるメタファー―表現技法のしくみ―』東京：筑摩書房.

谷口一美 (2003)『認知意味論の新展開―メタファーとメトニミー―』東京：研究社.

山梨正明 (1988/2007)『比喩と理解』東京：東京大学出版会.

安原和也 (2017)『ことばの認知プロセス―教養としての認知言語学入門―』東京：三修社.

認知「ことば遊び」論

1. はじめに

　ことば遊び（language play）は言語学のまともな研究対象となりうるのかという疑問は、ある意味では、当然のことであると言えるかも知れない。というのも、言語学の入門書を開いても、あるいは言語学の専門書を開いても、ことば遊びについて真面目に議論しているものなど、ほとんど見つけることは難しいからである。仮に何らかの記述があったとしても、言語学的にどう分析するかというよりは、このようなことば遊びが現実に存在するということをただ単に記載しているに過ぎないものが、そのほとんどを占めていると言ってもよいであろう。そして、もしもこのような点が本当に事実であるとするならば、ことば遊びは言語学のまともな研究対象とはならないと結論づけてもよいのかも知れない。

　しかしながら、言語学の研究対象というのは、以前と比べれば、どんどんと拡大してきているとも言うことができるであろう。例えば、認知言語学（cognitive linguistics）と呼ばれる言語学の一分野では、メタファー（metaphor）やメトニミー（metonymy）といった現象が、言語学の主要な研究対象として活発に議論され、今やこの種の研究は、言語学の領域においては、確固たる地位を築いていると言っても過言ではない（cf. Lakoff 1987; Lakoff & Johnson 1980, 1999; 山梨 1988/2007; 瀬戸 2017; 谷口 2003）。しかしながら、かつての伝統的な言語学においては、メタファーやメトニミーといった現象は、必ずしも言語学の中心的な研究対象ということでもなく、せいぜい認識されていたとしても、周辺的な位置づけしか与えられていなかったと言ってもよいかも知れない。

　このように、言語学の研究対象というのは、必然的な定めとして、その領域をどんどんと拡大していくというのは、ある意味で、当然のことであるとも言えるだろう。というのも、それによって、言語学という学問分野

も、どんどんと発展を遂げていくことになるからである。かつては、完全に忘れ去られていて、まったく扱われていなかった現象が、周辺的な言語現象として認識され、さらにはその中心となるべき言語現象として再認識されるということは、実のところ、メタファーやメトニミーといった現象に留まるものではないであろう。ただ単に、このような傾向は、少なくとも、ここ何十年かの間で生じてきたものであるからこそ、今このような形で指摘することもできるものと考えられる。

　そのような中で、言語学分野において、完全に忘れ去られているのが、あるいはかなりの周辺的な位置づけを与えられているのが、まさに本論で取り上げようとしていることば遊び現象であると言える。ことば遊び現象は、その名称からも理解できるように、「遊び」である以上、それは言語学の研究対象にはなりにくいと断言されることもあるかも知れないが、筆者は、このような考え方に対してはかなりの否定的な立場に立っている。というのも、ことば遊び現象は、「ことば」と明記されている以上、他の言語現象と同様に、言語学においても公平に取り扱われるべき研究対象であり、かつ、ことば遊びが十全に扱えるほどの柔軟な言語理論が存在してこなければ、真の意味での言語学は確立することができないとも考えているからである。つまり、他の言語現象がいくら十全に取り扱えたとしても、ことば遊びを取り扱うことを無視するような言語理論では、言語理論として不十分であると、筆者は真面目に考えているのである。

　このような言語学の現状を眺めてみるとき、筆者にはこのような言語理論を切り開くためのヒントが、今頭の中にひらめいている。それは、先にも述べたように、メタファーやメトニミーといった現象を言語学の主要研究テーマに押し上げてきた認知言語学という視点である（cf. Langacker 2008; Talmy 2000; Evans & Green 2006; 山梨 1995, 2000, 2004; 安原 2017）。伝統的な言語学では、ほとんど取り上げられることのなかったメタファーやメトニミーといった現象を、認知言語学の枠組みはかなり積極的に議論し、それらを中核的な言語現象として認識されるまでに成熟させてきたわけであるので、認知言語学という視点が有する柔軟性には、特に目を見張るものがあるはずである。

　そこで、本論では、そのタイトルに示されるように、「認知「ことば遊び」論」と題して、認知言語学の枠組みの中で、ことば遊び現象を取り扱っていく方法を、いくつか紹介してみたいと考えている。以下では、「音で遊ぶ」「文字で遊ぶ」「意味で遊ぶ」という３つの側面に分けて、ことば遊び現象の認知言語学的分析の一面を紹介したいと考えている。なお、このような３つの側面に分けるのは、周知のように、ことばというものが、音声と文字と意味という３つの要素から成り立っているからであり、それ以上の意味合いはここでは特にないと言える。

２．音で遊ぶ

　「音で遊ぶ」とは、つまりは、ことばの音声を利用して、遊ぶことである。したがって、それは、別の観点から理解すると、「耳で遊ぶ」あるいは「聴覚で遊ぶ」と捉え直すこともできるかも知れない。

　このようなタイプのことば遊びの代表的な具体事例としては、ダジャレ（pun）や脚韻（rhyme）といった言語現象を指摘することができる。

　例えば、まずは、ダジャレの具体事例として、（１）と（２）の事例について、ここで検討してみることにしよう。

　（１）苺の<u>ミル</u>フィーユ　食べて<u>ミル</u>？

　　　　　　　（「パイの実 苺のミルフィーユ」（ロッテ）のパッケージより
　　　　　　　　　　　　　　　　　　　　　　　　　　　［下線は筆者による］）

　（２）<u>たい</u>した、<u>タイ</u>だ！

　　　　　　　（「ビルトインガスコンロ DELICIA（デリシア）「The Cocotte で、
　　　　　和食を楽しむ日」篇」（Rinnai）のテレビＣＭより［下線は筆者による］）

　ここでは、下線で示した部分が、ダジャレが関与している箇所である。（１）では、「ミルフィーユ」の「ミル」と「食べてみる？」の「みる」に、音声リンク（phonetic link）が設定され、これらの部分が音としてダブっていることが認識されている。その結果、文字表記としては、「食べてみ

る？」という問いが、「食べてミル？」のように、カタカナ表記に変更されている。とはいえ、ここでは、文字表記というよりも、音声として聞いた場合に、上記のような音声リンクが認識されるという点が、ここでは重要となってくる。

　同様のことは、（2）についても言うことができる。この場合、「たいした」という連体詞の「たい」の部分と魚の「タイ」が音声的にダブっていることが認識され、その間に音声リンクが張られることとなる。こちらの場合も、文字表記で示しているので、どうしても文字の方に注目が注がれてしまうのであるが、こちらも、音声で聞いた場合に、上記のような音声リンクが構築されてくるという点に、ここでは特に注意されたい。

　それでは、このような音声リンクという現象は、認知言語学の枠組みの中では、どのような形で理解していくことができるのであろうか。筆者は、その答えとして、プロファイリング（profiling）と呼ばれる認知プロセスを提示したいと考えている。プロファイリングとは、周知のように、特定のベース（base）を前提とした上で、その一部分に焦点（つまりプロファイル（profile））を当てていく認知プロセスとして、認知言語学の領域では、おなじみの概念であると言える（cf. Langacker 1990, 2000, 2008）。

　下記の（3）は、上記の（1）と（2）をすべてひらがな表記に改めたものである。というのも、上記の（1）と（2）では、文字表記として提示されているので、これにプロファイリングを与えると、少し都合が悪いためである。

（3）a．いちごのみるふぃーゆ　たべてみる？
　　　b．たいした、たいだ！

　したがって、（3）のような音声列をここでのベースとして理解していくと、（3a）に関しては「みる」の部分に、（3b）に関しては「たい」の部分に、プロファイルを付与してみると、それは（4）のような状態となる。なお、ここでは、太字で示した部分が、プロファイルされた箇所であることを示している。

（4）a．いちごの**みる**ふぃーゆ　たべて**みる**？
　　　b．**たい**した、**たい**だ！

（4）に示した状態を観察するとき、これが音声で認識されていると理解すれば、（4a）では「みる」の部分に、（4b）では「たい」の部分に、音声リンクの認識が得られることが、一目瞭然となって、見えてくることになる。

　次に、脚韻の具体事例として、（5）と（6）の事例について、考えてみることにしよう。

（5）<u>電気</u>で、この街の<u>元気</u>をつくる。
（「四国電力」のテレビCMより［下線は筆者による］）

（6）「<u>トランプ</u>・<u>スランプ</u>」と、いわれているらしい。
（「中日春秋」中日新聞（2018年2月24日）［下線は筆者による］）

　脚韻とは、例えば2つの単語があったとすれば、その後方部分において、韻を踏んでいることを、一般に意味している。（5）では、下線で示したように、「電気」と「元気」という2つの語彙がその後方部分で、韻を踏んでいると言えるので、脚韻の一例として理解されうることとなる。同様に、（6）においても、下線で示したように、「トランプ」と「スランプ」の間に、脚韻の関係が認められるものと考えられる。というのも、その後方部分において、すなわち、より具体的には「ランプ」の部分において、韻の構造を見て取ることができるからである。

　一般に、このような脚韻の場合にも、プロファイリングの認知プロセスが、その音声リンクの認識において、きわめて重要な役割を果たしていると考えることができる。先ほどと同じように、上記の（5）と（6）は文字表記で示されているので、ここでは少し都合が悪いため、ここでも表記を（7）のように切り替えることにしたいと思う。なお、この場合には、その音声を認識する上では、ひらがな表記よりも、ローマ字表記の方がよ

り都合がよいので、（7）では上記の（5）と（6）をローマ字表記で書き直している点に注意されたい。

（7）a．DENKI de, kono machi no GENKI wo tsukuru.
　　　b．「TORANPU・SURANPU」to, iwareteirurashii.

　したがって、（7）のような音声列をここでのベースとして理解した上で、（7 a）に関しては「ENKI」の部分に、（7 b）に関しては「RANPU」の部分に、プロファイルを付与していくと、ここでの脚韻の構造がより明確に現れてくるようになる。すなわち、その結果としてのプロファイリング構造は、下記の（8）のように表示することが可能である。

（8）a．D**ENKI** de, kono machi no G**ENKI** wo tsukuru.
　　　b．「TO**RANPU**・SU**RANPU**」to, iwareteirurashii.

（8）に提示したプロファイリング構造を前提にして、これが音声で認識されていると考えてみると、（8 a）では「ENKI」の部分に、（8 b）では「RANPU」の部分に、脚韻構造をもたらす音声リンクが構造化されてきていることが分かる。

3．文字で遊ぶ
　「文字で遊ぶ」とは、端的に言えば、ことばの表記を利用して、遊ぶことである。したがって、それは、別の観点から理解すると、「目で遊ぶ」あるいは「視覚で遊ぶ」と捉え直すこともできるかも知れない。
　このようなタイプのことば遊びの代表的な具体事例としては、文字遊びといった言語現象を指摘することができる。
　まずは、（9）の事例について、ここで検討してみることにしよう。

（9）**令**和は**澪**で乾杯！
（「松竹梅白壁蔵「澪（みお）」MIO スパークリング清酒」

64

（宝酒造）のテレビCMより）

この事例では、太字で示したように、「令和」という元号に含まれる「令」という漢字と、「澪（みお）」という商品名の漢字の中に含まれる「令」という漢字の一要素が、文字の類似性という観点に基づいて、文字リンク（orthographic link）を張っている点が、ここでの注目ポイントである。前節で紹介した事例においては、音声リンクがその重要性を担っていたと言えるが、（9）においては、音声リンクではなく、文字リンクが、ここでの重要性を担っていると考えられる。

　なお、このような文字リンクの場合にも、プロファイリングの認知プロセスが、きわめて重要な役割を果たすこととなっている。すなわち、（9）全体をベースとして理解した場合には、まず「令和」の「令」にプロファイルが付与され、その次に、「澪」の一構成要素である「令」にプロファイルが付与されて、両者が文字リンクを構造化することになるのである。したがって、（9）のような文字遊びにおいても、プロファイリングの認知プロセスが機能的に関与していることが、ここでも認められてくるのである。

　次に、（10）の事例について、考えてみることにしよう。

（10）　なんのかんのと　ノの字がふたつ
　　　　人という字で　支えあう

（石川さゆり「人生情け舟」（作詞：吉岡治、作曲：弦哲也）より）

　この場合には、文字遊びが2つ登場してきている。1つは、1行目の歌詞である「なんのかんのと　ノの字がふたつ」という部分である。これは、分かりやすく言えば、「なんのかんの」という文字列を見ると、「の」の字が2つ認識されるということを、言語的に表現しているものと考えられる。したがって、この場合にも、プロファイリングの認知プロセスが関与しており、下記に示されるように、（11ａ）をベースとして、（11ｂ）のようにプロファイルを与えていくことで、ここでの認識は構造化されてきてい

ると言える。

（11）a．なんのかんの
　　　b．なん**の**かん**の**

　そして、もう1つの文字遊びとしては、1行目から2行目にかけての歌詞にある「ノの字がふたつ　人という字で　支えあう」という部分に、その遊びを認めることができる。ここでは、「人」という漢字が、「ノ」の字2つで構造化されているという着眼点が、その歌詞の中に描かれていると言える。この場合に、その背景で機能している認知プロセスとしては、形式ブレンディング（formal blending）と呼ばれるものを挙げることが可能である（cf. Fauconnier & Turner 2002; 安原 2020）。すなわち、（12）に示されるように、2つの「ノ」が言語形式レベルでブレンドすることによって、「人」という漢字（あるいは文字）が完成させられるわけであるので、そこに形式ブレンディングの認知プロセスが関与していることは、かなり明らかであると言わざるを得ない。

（12）　ノ　＋　ノ　→　人

　さらに、もう1つだけ、興味深い文字遊びの具体事例を、ここで挙げておこう。それは、下記の（13）である。

（13）矢木村先生は、グロスター公をグロスターハムと読んだ。<u>公の字
　　　がハムと見えたんだね。</u>
　　　（井伏鱒二『駅前旅館』新潮文庫 2016 年（54 刷）p. 99［下線は筆者による］）

　この場合には、下線で示したように、「公」という漢字が、カタカナに分解されることで、「ハム」と読まれているという点に、この文字遊びの面白さが表出していると言える。「グロスター公をグロスターハムと読んだ」わけであるので、もしも冗談ではなく、真面目にそう読んだのだとす

れば、その面白さはかなり倍増しそうである。

　ここで関与している認知プロセスとしては、２つのものを指摘することができるように思われる。１つは、「公」という漢字を「ハ」と「ム」というカタカナに分解するという側面では、（14）に示されるように、形式スプリッティング（formal splitting）の認知プロセスが関与しているものと考えられる（cf. 安原 2018）。

　（14）　公　→　ハ　＋　ム

形式スプリッティングとは、分かりやすく言えば、先ほどの形式ブレンディングの逆プロセスのことであるので、この点は比較的理解しやすいように思われる。

　そして、ここで関与しているもう１つの認知プロセスは、スキャニング（scanning）と呼ばれるものである（cf. Langacker 1990, 2000, 2008; Talmy 2000）。ここで言う意味でのスキャニングとは、一定の文字列に対して、一定の方向に視線を走らせること（つまり文字を追うこと）を、一般に意味している。したがって、この観点から、「グロスター公」という文字列の読み方を検討してみると、１つの興味深い事実が見えてくることとなる。すなわち、正しい読み方である「グロスターこう」の場合には、その文字列を左から右方向に読んでいくわけであるが、間違った読み方である「グロスターハム」の場合には、２つのスキャニングがつなぎ合わされている点に、ここでは注意する必要がある。つまり、「グロスター」までは先ほどと同じように、その文字列を左から右方向に読んでいくのであるが、「公」のところに関しては、その文字列を上から下方向に読んでいかなければならないのである。まさに、このような形で現われてくる、スキャニング方向の重複性（すなわち左右スキャニングと上下スキャニングの併用）が、ここでの文字遊びの面白さを高める１つの要素として機能してきていることは、以上の考察からも、かなり明らかであると言わなければならない。

4．意味で遊ぶ

「意味で遊ぶ」とは、読んで字の如くで、ことばの意味を利用して、遊ぶことである。したがって、それは、別の観点から理解すると、「記憶知識で遊ぶ」、あるいは記憶知識のことはより専門的にはフレーム（frame）と呼ばれるので、「フレームで遊ぶ」と理解し直すことも可能となるように思われる。フレームとは、我々が日常生活を送る中で、おのずと頭の中に蓄積されてくる一般知識（あるいは世界知識）のことであり、これは通常、長期記憶（long-term memory）に格納されていると考えられている（cf. Fillmore 1982, 1985）。したがって、「意味で遊ぶ」ということは、音声や文字といった言語形式を介して、フレーム知識を喚起させることで、ことば遊びを楽しむことであるとも、言うことができるかも知れない。

このようなタイプのことば遊びの代表的な具体事例としては、ジョーク（joke）や山手線ゲーム（古今東西）といった言語現象を指摘することができる。

まずは、ジョークの具体事例として、（15）の事例について、ここで検討してみることにしよう。

（15）新聞で「米朝緊迫」なんて見出しを見ると、「桂米朝さんに何かあったんかいな」と驚いてまうわ。かつて大阪の知人から、こんな話をよく聞かされた。もちろん正しくは米国と北朝鮮の関係のことだ。半分ネタと分かっていても、上方落語への愛着を感じ楽しくなる。

（「春秋」日本経済新聞（2018 年 4 月 25 日）［下線は筆者による］）

この事例では、「米朝」という言語表現が、ここでのジョークの面白さ（fun）を引き出すのに一役買っていると言える。「米朝」と聞けば、ある人は「桂米朝さん」のことを思い出す人もいるであろうが、別の人にとっては「米国と北朝鮮」のことを想起する人もいるはずである。この現象は、認知言語学の観点から説明を施してみると、「米朝」と聞いて、「桂米朝さん」のことを思い出したという人は「桂米朝」フレームの喚起が、それを聞いて、「米国と北朝鮮」のことを想起したという人は「米国と北朝鮮」

フレームの喚起が行われたということに等しいものと考えられる。とはいえ、結局のところは、ここでの「米朝」というフレーズを、どちらのフレームで解釈していくかという点に関しては、それは文脈次第であるとも言うことができる。しかしながら、(15) の文脈では、「米朝」と聞いて、まずは「桂米朝」フレームの喚起があって、それから「米国と北朝鮮」フレームの喚起へと移行したということが記述されてあるわけであるので、このようにフレームが切り替えられて、その解釈が行われていくということも、現実的にはありうると理解されなければならない。認知言語学の枠組みの中では、このような形で、その解釈プロセスにおいて、喚起されうるフレームが切り替わってくることは、一般にフレーム・シフティング（frame shifting）として知られている (cf. Coulson 2001)。したがって、(15) では、「米朝」というフレーズを解釈する際に、「桂米朝」フレームから「米国と北朝鮮」フレームへと、そのフレームが切り替えられたことを、ここでは表現していると説明することが可能となる。このような形で、喚起されるフレームが切り替えられると、そこには面白さという魔法がおのずと創発してくることとなる。すなわち、喚起されるフレームの違いが、その面白さを誘発してきているという点に、ここでは特に注目する必要がある。

　次に、山手線ゲーム（古今東西）の具体事例として、(16) の事例について、考えてみることにしよう。

(16)　[お題] 五木ひろしのヒット曲：
　　　　「よこはま・たそがれ」「長崎から船に乗って」「ふるさと」「夜空」
　　　　「千曲川」「おまえとふたり」「倖せさがして」「契り」「細雪」「長
　　　　良川艶歌」「そして…めぐり逢い」「山河」「おふくろの子守歌」
　　　　「傘ん中」「高瀬舟」「凍て鶴」「おしろい花」「夜明けのブルース」
　　　　「VIVA・LA・VIDA！～生きてるっていいね！～」 など

　山手線ゲーム（古今東西）とは、何らかのお題を決めて、そのお題に合致するものを順番に（あるいは交互に）答えていくゲームのことを、一般に意味している。したがって、通常は、答えが出てこなくなったり、ある

いは同じ答えを言ってしまったり、あるいはまたそのお題に該当しないものを答えてしまうと、このゲームでは負けとなってしまうと言える。

　（16）では、「五木ひろしのヒット曲」というお題が設定されているわけであるので、「五木ひろしのヒット曲」に該当するものを、順番に答えていけばよいことになる。したがって、（16）に挙げたような楽曲名が次々と出てくれば、このゲームはどんどんと盛り上がり、進展していくこととなる。しかしながら、答えに詰まったり、時間切れとなったり、同じ答えを再度繰り返したりすると、その時点で、このゲームでは負けが決定してしまう。さらには、「津軽海峡・冬景色」（石川さゆりのヒット曲）、「北の宿から」（都はるみのヒット曲）、「あばれ太鼓」（坂本冬美のヒット曲）、「二輪草」（川中美幸のヒット曲）、「まつり」（北島三郎のヒット曲）、「北緯五十度」（細川たかしのヒット曲）など、他の歌手のヒット曲を提示した場合にも、そのお題に該当しないものとして判断されることとなるので、この場合にも、負けが決定してしまうこととなる。

　このようなゲームが行われる背景にも、フレームという知識構造が大きく関与しているものと、一般に考えることができる。というのも、「五木ひろしのヒット曲」と聞いて、頭の中に喚起される楽曲を、重複することなく、次々と答えていくことが、このゲームでは要求されているわけであるので、ここでは「五木ひろし」のフレームが喚起されなければ、そもそも「五木ひろしのヒット曲」というものにも、頭の中でアクセスできないということになってしまうからである。したがって、このようなゲームの場合にも、認知言語学で言われるところのフレームという概念が、きわめて重要な役割を果たしているということは、以上の考察からも、かなり明らかであると言わなければならない。

5．おわりに

　本論では、（ⅰ）認知言語学の枠組みの中でことば遊び現象をどのように捉えていくことが可能であるのか、ひいては、（ⅱ）言語学という学問領域ではことば遊び現象は扱いきれないものとして認識されうるのかという点について、1つの答えを探るべく、これらの疑問を念頭においた議論

を、代表事例の具体的な分析を通して、進めてきたと言える。まず、後者の（ ii ）に関しては、認知言語学の枠組みを前提とすれば、ことば遊び現象も言語研究の射程内に収めることができるということが明らかになったものと考えられる。そして、前者の（ i ）に関しては、認知言語学の枠組みの中で提唱されてきた様々な認知プロセスを前提にすれば、ことば遊び現象の背景に潜んでいるそのからくり（すなわちその概念構造）も明らかにしていくことが可能であることが、本論では見えてきたように感じられる。したがって、ことば遊び現象も、言語学が扱うべき言語現象の一部を構成しているものであり、それを無視した理論構築も、当然のことながら、今後は避けられる必要性があるということが、本論の議論からも理解されてくるところである。この意味では、今後の言語研究においては、ことば遊び現象をもその視野に取り込んだ理論構築が積極的に行われていくことが、当面の目標としてきわめて重要なものとなってくるであろう。

参考文献

Coulson, Seana. (2001) *Semantic Leaps: Frame-Shifting and Conceptual Blending in Meaning Construction.* Cambridge: Cambridge University Press.

Evans, Vyvyan, and Melanie Green. (2006) *Cognitive Linguistics: An Introduction.* Edinburgh: Edinburgh University Press.

Fauconnier, Gilles, and Mark Turner. (2002) *The Way We Think: Conceptual Blending and the Mind's Hidden Complexities.* New York: Basic Books.

Fillmore, Charles J. (1982) "Frame Semantics." In: The Linguistic Society of Korea (ed.), *Linguistics in the Morning Calm*, pp. 111-137. Seoul: Hanshin Publishing Co.

Fillmore, Charles J. (1985) "Frames and the Semantics of Understanding." *Quaderni di Semantica* 6 (2): 222-254.

Lakoff, George. (1987) *Women, Fire, and Dangerous Things: What Categories Reveal about the Mind.* Chicago: The University of Chicago Press.

Lakoff, George, and Mark Johnson. (1980) *Metaphors We Live By.* Chicago: The University of Chicago Press.

Lakoff, George, and Mark Johnson. (1999) *Philosophy in the Flesh: The Embodied Mind and its Challenge to Western Thought.* New York: Basic Books.

Langacker, Ronald W. (1990) *Concept, Image, and Symbol: The Cognitive Basis of Grammar.* Berlin/New York: Mouton de Gruyter.

Langacker, Ronald W. (2000) *Grammar and Conceptualization.* Berlin/New York: Mouton de Gruyter.

Langacker, Ronald W. (2008) *Cognitive Grammar: A Basic Introduction.* Oxford: Oxford University Press.

瀬戸賢一 (2017)『よくわかるメタファー―表現技法のしくみ―』東京：筑摩書房 .

Talmy, Leonard. (2000) *Toward a Cognitive Semantics, Volume 1: Concept Structuring Systems.* Cambridge, MA: MIT Press.

谷口一美 (2003)『認知意味論の新展開―メタファーとメトニミー―』東京：研究社 .

山梨正明 (1988/2007)『比喩と理解』東京：東京大学出版会 .

山梨正明 (1995)『認知文法論』東京：ひつじ書房 .

山梨正明 (2000)『認知言語学原理』東京：くろしお出版 .

山梨正明 (2004)『ことばの認知空間』東京：開拓社 .

安原和也 (2017)『ことばの認知プロセス―教養としての認知言語学入門―』東京：三修社 .

安原和也 (2018)「ブレンディングのことば遊び」未発表原稿 .

安原和也 (2020)「命名と形式ブレンディング」本書所収論文 .

文脈的特定性について

1．はじめに

　本論では、文脈的特定性（contextual specificity）と称することのできる言語の１つの性質について、その基本的な考え方を議論してみたいと考える。文脈的特定性とは、最も簡潔に定義すれば、その言語文脈レベルにおいて、不特定認識のものを特定認識に切り替えていく性質のことを、ここでは意味している。すなわち、その言語文脈レベルにおいて、何らかの特定できていない事柄が、その言語文脈に当てはめられることによって、それが特定できてくるような状態になってくるという性質のことが、文脈的特定性であると言うことができる。

　一般に、文脈的特定性という性質が発現してくる際には、（１）に示すように、３つのパターンが存在しているように考えられる。

　（１）文脈的特定性の３タイプ：
　　　　ａ．前方参照タイプ
　　　　ｂ．後方参照タイプ
　　　　ｃ．両方参照タイプ（前後参照タイプ）

　（１ａ）の前方参照タイプ（anaphoric type）とは、その先行文脈を参照することで、その文脈的特定性が発動されてくるタイプのことである。これに対して、（１ｂ）の後方参照タイプ（cataphoric type）とは、（１ａ）とは真逆に、その後続文脈を参照することで、その文脈的特定性が発動されてくるタイプのことである。そして、最後に残った（１ｃ）の両方参照タイプあるいは前後参照タイプ（omniphoric type）とは、その先行文脈およびその後続文脈の両方を参照することで、その文脈的特定性が発動されてくるタイプのことであると言える。

　以下では、（１）に提示された文脈的特定性の３タイプを基本軸に据えた上で、文脈的特定性という性質が発現してくる具体的な言語事例について、簡単ではあるが、考察・分析を行ってみたいと考える。

２．照応現象と文脈的特定性

　文脈的特定性という性質が発現してくる最も代表的な言語現象としては、言語学一般においてこれまでも様々な観点から幅広く議論が展開されてきた照応現象（anaphoric phenomena）と呼ばれるものを指摘することができる。

　照応現象が文脈的特定性という性質を有するという点を確認する目的で、ここでは、下記の（２）の事例について、検討してみることにしよう。

（２）ａ．太郎と次郎は、幼い頃から、仲良しであった。そして、大人になっ
　　　　　てからも、2人は仲良しである。
　　　ｂ．幼い頃から、2人は仲良しであった。そして、大人になってか
　　　　　らも、太郎と次郎は仲良しである。
　　　ｃ．太郎には仲良しの友達がいて、2人の仲は現在でも良好である。
　　　　　その友達とは誰かと言うと、それは次郎である。

　（２）には３つの事例が挙げられているが、下線で示したように、「２人」という要素がここでの照応詞（anaphor）としての機能を果たしている。「２人」というフレーズが照応詞として解釈されるということは、要するには、その文脈下において、２人の人物をきちんと特定することができるということを意味していると言ってよい。したがって、（２ａ）では、「２人」という要素だけではそれが誰を指示しているのかは不特定であると言わなければならないが、その先行文脈を参照することによっては、「２人」＝「太郎」「次郎」という解釈が成り立ってきて、「２人」という要素が特定化されてきている。これは、「２人」という要素単独では不特定認識を有していたわけであるが、その先行文脈の参照によって、特定認識を得ることに成功していると言えるので、まさに文脈的特定性がここには創発してきて

いると考えることができるわけである。

　同様のことは、（２ｂ）と（２ｃ）にも、当てはめていくことが可能である。しかしながら、（２ｂ）と（２ｃ）においては、その参照先が（２ａ）とは大きく異なっていると言わなければならない。すなわち、（２ｂ）では、「２人」という要素が、その後続文脈の参照によって、「２人」＝「太郎」「次郎」というように、特定化されてきているのである。そして、（２ｃ）にいたっては、「２人」という要素は、その先行文脈からは「太郎」、その後続文脈からは「次郎」といった形で、その特定化がなされてきていると言える。

　したがって、以上の考察を踏まえて考えていくならば、文脈的特定性の観点からは、（２ａ）は前方参照タイプ、（２ｂ）は後方参照タイプ、そして（２ｃ）は両方参照タイプの具体事例となっていることが、一般に理解できてくるようになる。

３．活性化領域としての特定性

　前節では、文脈的特定性の代表事例であると一般に理解されうる照応現象について、「２人」という代名詞をその一例に挙げて、その具体的な性質について簡単な議論を提供してきた。しかしながら、文脈的特定性という性質が発現してくるのは、何も照応現象のみに限ったことではない。言語というものが、一般には、その文脈下において、その適切な意味を認識するに至ってくる以上は、照応現象以外の言語現象においても、文脈的特定性という性質が見られるということは、ある意味では当たり前のことであるとも言えるかも知れない。以下では、文脈的特定性が発現してくる言語現象で、照応現象以外のものを、いくつか紹介してみたいと考えている。

　まず、（３）の事例について、ここで考えてみることにしよう。

（３）苦いタバコに　むせながら
　　　手さえあげない　俺が悲しいよ
　　　　　　　　　（里見浩太朗「友よ女よ」（作詞：阿久悠、作曲：三木たかし）
　　　　　　　　　　　　　　　　　　　　　　　　　　［下線は筆者による］）

　ここでは、下線を施した「タバコ」という部分に注目してもらいたい。ただ単に、「タバコ」という語彙を耳にしたり目にしたりすると、タバコの様々な側面が頭の中に浮かんでくるものと考えられる。しかしながら、その後続文脈に着目すると、「むせながら」という言い回しが登場してきているのである。すなわち、この場合には、「タバコにむせる」という状況下において、ここでの「タバコ」という意味が理解されなければならないことを、この文脈が示唆しているとも考えることができる。したがって、この場合には、「タバコ」という語彙から様々なイメージが頭の中に喚起されたものの中から、その後続文脈である「むせながら」に合わせて、ここでの「タバコ」を「タバコの煙」のこととして解釈していくことで、ここでの意味理解はかなり率直なものとなってくるのである。このような形で、複数のイメージが頭の中に喚起されたものの中から、特定のものが選択されるということは、要するには、文脈的特定性がこのようなレベルでも発動させられてきているということの証拠であると言うことができる。認知言語学の研究領域では、このようなタイプの現象は、一般に活性化領域（active zone）として知られている（cf. Langacker 1990, 2000, 2008）。つまり、（3）の例で言うならば、「タバコ」というイメージの総体が頭の中に喚起された後に、その一側面である「タバコの煙」が活性化される（あるいは焦点化される）状態になるという、文脈上の特定性がここでも発揮されてきているのである。

　この例との関連では、下記の（4）の事例も、大変興味深いものであると考えられる。

（4）「ねえ、太郎くん、ここでタバコを吸わないで下さいよ。とにかく、私はタバコのにおいが嫌いなんですから。ガンにでもなったら、どうしてくれるのよ。」

　この場合にも、下線で提示したように、「タバコ」という語彙が２回、登場してきている。しかしながら、前方に位置する「タバコ」と後方に位置する「タバコ」とでは、その意味合いが大きく異なってきているという

点に、ここで特に注意をする必要がある。すなわち、「タバコ」という言語形式ではまったく同一であると言うことができるのであるが、それが文脈下に落とし込まれると、ここではその意味合いにズレが生じてきていると言えるのである。前方に位置する「タバコ」については、「タバコを吸う」という文脈であるので、ここでの「タバコ」は要するには「タバコの主流煙」のことを意味しているものと考えることが可能である。これに対して、後方に位置する「タバコ」については、「たばこのにおい」という文脈であるので、ここでの「タバコ」は結果的に見て「タバコの副流煙」のことを意味しているものとして解釈されなければならないはずである。したがって、このような解釈プロセスにおいても、文脈的特定性という考え方が、その背景でしっかりと根を張っていることに、ここでは注目しておく価値がある。なお、（3）の「タバコにむせる」という場合の「タバコ」も、「タバコの煙」であることには変わりはないものの、より文脈的に特定していくとすれば、この場合の「タバコ」はつまりは「主流煙」のことを意味しているという点にも、ここでは注意しておきたいところである。

　以上の考察をここで整理し直せば、それは（5）のようにまとめることが可能である。

（5）a.（3）：
　　　　「タバコ」にむせる→「タバコの煙（主流煙)」にむせる
　　　b.（4）の前方：
　　　　「タバコ」を吸う→「タバコの煙（主流煙)」を吸う
　　　c.（4）の後方：
　　　　「タバコ」のにおい→「タバコの煙（副流煙)」のにおい

　したがって、（5）の整理から理解していくと、そのすべての文脈において、「むせる」「吸う」「におい」という後続要素への参照によって、ここでの「タバコ」の意味合いが変化してきていることが、よりよく見えてくることになる。この意味では、（3）と（4）の文脈に登場してきている「タバコ」の意味解釈は、文脈的特定性の観点からは、後方参照タイプ

に属しているものとして、一般には判断されそうである。

　次に、（6）の事例について、ここで検討してみよう。

（6）さくら　ひらひら　舞い降りて落ちて
　　　揺れる　想いのたけを　抱きしめた
　　　君と　春に　願いし　あの夢は
　　　今も見えているよ　さくら舞い散る

　　　　　　　　（いきものがかり「SAKURA」（作詞・作曲：水野良樹）
　　　　　　　　　　　　　　　　　　　　　　［下線は筆者による］）

　この場合には、下線でも示したように、「さくら」ということばが2回、ここでは出てきている。この場合には、前方に位置する「さくら」と後方に位置する「さくら」は、その文脈的考慮に基づけば、まったく同じものを指示していると考えることが可能である。つまり、ここでも、後方参照タイプに基づいて、「さくら　ひらひら」と「さくら舞い散る」と解釈していけばよいと言えるので、この場合の「さくら」は要するに「さくらの花びら」のことを指示しているものと解釈されうることとなる。

　これに対して、下記の（7）の歌詞に登場してきている「さくら」は、どのように解釈していけばよいのであろうか。

（7）a．さくら　さくら　今、咲き誇る
　　　　　刹那に散りゆく運命（さだめ）と知って
　　　b．さくら　さくら　ただ舞い落ちる
　　　　　いつか生まれ変わる瞬間（とき）を信じ

　　　　　　　　（森山直太朗「さくら（独唱）」（作詞：森山直太朗・御徒町凧、
　　　　　　　　　　　　　作曲：森山直太朗）［下線は筆者による］）

　（7a）は、1番の歌詞からの引用であるが、この場合には、「さくら」が「咲き誇る」と表現されているので、その後続の文脈情報に基づけば、ここでの「さくら」は「さくらの花」のことを意味しているものと考えることが

できる。それに対して、（7 b）は、2番の歌詞からの引用となっているが、この場合には、「さくら」が「舞い落ちる」という文脈となっているので、ここでもその後続文脈の情報を参照すれば、ここでの「さくら」は「さくらの花びら」のことであると、一般に理解できてくるようになる。このように、同じ1つの歌の中でも、その文脈に応じて、「さくら」の意味合いが変わってくるという点は、文脈的特定性の観点からは、大変興味深い現象であると、一般に判断することができる。

　それでは、このような考察を加えてきたということは、「さくら」という語彙に関しては、文脈的特定性の観点から言えば、後方参照タイプしか現実に観察されないということになるのであろうか。その答えは、下記の（8）に示すように、残念ながら、否であると言わなければならない。

（8）a．舞い散る<u>さくら</u>
　　　b．咲き誇る<u>さくら</u>
　　　c．舞い散る<u>さくら</u>が舞い上がる

　まず、（8 a）と（8 b）であるが、これらは前方参照タイプとなっている。（8 a）では、ここでの「さくら」の意味合いを特定するのに、前方要素である「舞い散る」というフレーズが参照されているからである。つまり、この場合には、前方文脈への参照により、「さくら」＝「さくらの花びら」という解釈が、ここでは成立してきているのである。同様に、（8 b）でも、ここでの「さくら」の意味合いを特定するのに、前方要素である「咲き誇る」というフレーズが参照され、その結果、「さくら」＝「さくらの花」という解釈に到達しているものと考えられる。したがって、文脈的特定性の観点からは、「さくら」という語彙に関しては、前方参照タイプも実在していると、ここでは理解されなければならない。

　これに対して、（8 c）は大変興味深い事例であり、つまりは両方参照タイプになっているものと考えられる。というのも、ここでの「さくら」の意味合いを特定するのに、前方要素である「舞い散る」というフレーズ、さらには後方要素である「舞い上がる」というフレーズの両方が、ここで

は同時に参照されていると言えるからである。したがって、この場合には、先行文脈と後続文脈の両方が参照先となって、ここでの「さくら」が「さくらの花びら」として解釈されるようになっていると考えられる。したがって、文脈的特定性の観点からは、「さくら」という語彙については、両方参照タイプも実在するという点が、以上の考察からも明らかであると言わなければならない。

４．数認識の特定性

　実際の言語使用（あるいは言語理解）においては、数認識というものも、きわめて重要な働きを担っているものと考えることができる。例えば、下記の（９）の事例について、ここで検討してみることにしよう。

（９）いつも群飛ぶ　かもめさえ
　　　とうに忘れた　恋なのに
（都はるみ「涙の連絡船」（作詞：関沢新一、作曲：市川昭介）
［下線は筆者による］）

　ここでは、下線で示したように、「かもめ」ということばが、この歌詞には登場してきている。しかしながら、「かもめ」ということば単独では、それが単数認識を有しているのか、あるいははたまたそれが複数認識を有しているのかは、その時点では、何ら釈然としないと言えるかも知れない。とはいうものの、この「かもめ」ということばが、（９）の文脈の中に配置された際には、それが単数認識を有しているのか、あるいは複数認識を有しているのかは、驚くほど明確に特定化されうることになる。というのも、「かめも」の先行文脈において、「群飛ぶ」という表現が登場してきているからである。通常の観点で言うならば、群れをなしてかもめが飛んでいるということは、当然のことながら、そこには複数のかもめが存在しているというイメージを頭の中に喚起させられるわけである。したがって、このような形で考察を深めてくると、ここでの「かもめ」ということばは、先行文脈への参照（すなわち前方参照タイプ）を通して、その数認識が複

数であることが理解できてきているように考えられる。つまり、数認識において は、不特定であったものが、文脈の考慮によって、複数認識として理解されてきているということは、その背後に数認識に関わる文脈的特定性というものが横たわっていることは、かなり明らかであると言わなければならないであろう。

　数認識の文脈的特定性に関しても、前方参照タイプ、後方参照タイプ、そして両方参照タイプの、3タイプすべてを特定していくことが可能である。まず、前方参照タイプの具体事例としては、（10）の事例を挙げることができる。

（10）ａ．一羽だけで<u>かもめ</u>が飛んでいた。
　　　ｂ．群れをなして<u>かもめ</u>が飛んでいた。

　（10ａ）では、「かもめ」というフレーズの数特定に関して、「一羽だけで」という前方要素が重要な働きを担っているので、前方参照タイプとして、一般に判断されることとなる。同様に、（10ｂ）でも、「かもめ」というフレーズの数特定に関して、前方要素となっている「群れをなして」がここでのヒントとなっているので、この場合も、前方参照タイプとして認定される。なお、ここでは、（10ａ）における数の不特定認識は最終的には単数認識として、（10ｂ）における数の不特定認識は最終的には複数認識として理解されてくる点に、ここでは注意されたい。

　次に、後方参照タイプの具体事例としては、（11）の事例を指摘することができる。

（11）ａ．<u>かもめ</u>が飛んでいた。それも一羽だけで。
　　　ｂ．<u>かもめ</u>が飛んでいた。それも群れをなして。

　（11ａ）では、「かもめ」というフレーズの数特定に関しては、後方に位置する「一羽だけで」という要素がここでのヒントとして機能しているので、一般に後方参照タイプとして理解されることとなる。同様に、（11ｂ）

でも、後方に位置している「群れをなして」という要素がここでの言語理解においてきわめて重要な働きを果たしていると言えるので、この場合も、後方参照タイプとして分類されることになる。なお、この場合には、（11ａ）における数の不特定認識は最終的には単数認識として、（11ｂ）における数の不特定認識は最終的には複数認識として理解されてくる点にも、ここでは注意されたい。

　そして最後に、両方参照タイプの具体事例としては、（12）の事例を挙げることができる。

（12）ａ．一羽だけで飛んでいた。かもめが一羽だけで。
　　　ｂ．群れをなして飛んでいた。かもめが群れをなして。

　（12ａ）では、その数特定に向けて重要要素となってくる、先行文脈の「一羽だけで」という要素と、後続文脈にも登場している「一羽だけで」という要素の間に、「かもめ」ということばが挟まれている点で、この事例は両方参照タイプとして理解されうることとなる。同様のことは、（12ｂ）にも当てはまり、ここでも、その数特定に向けて、「群れをなして」という要素が、「かもめ」ということばの両脇（すなわち先行文脈と後続文脈）に登場してきている点で、両方参照タイプとして認識されてくることになる。なお、数の不特定認識に関しては、（12ａ）では最終的には単数認識に、（12ｂ）では最終的には複数認識になってきている点に、ここでも注目されたい。

５．タイプ認識の特定性
　次に取り上げたいのは、タイプ認識の特定性に関してである。基本的に、概念（concept）というものは、上位概念（superordinate concept）から下位概念（subordinate concept）へと、階層構造（hierarchical structure）をなしているものとして理解されている。したがって、例えば、その文脈下において、上位概念が提示されれば、これが具体的にはどの下位概念のことを指示しているのかという意味での疑問が湧いてくることも、現実に

はありうるものと考えられる。まさに、そこで登場してくるのが、タイプ認識に関わる文脈的特定性というわけである。

　まず、一例として、下記の（13）の事例について、ここで考えてみよう。

　（13）津軽では、梅、桃、桜、林檎、梨、すもも、一度にこの頃、<u>花</u>が
　　　　咲くのである。

（太宰治『津軽』青空文庫［下線は筆者による］）

　ここでは、下線で示したように、「花」という上位概念が登場してきている。しかしながら、「花」と一口に言われても、それが何の花であるのかは、このことば単独では何ら分からないままであると言える。したがって、このような場合には、タイプ認識に関しては、不特定であると言わなければならないことになる。しかしながら、（13）には一定の文脈も提示されており、その中にここでの「花」という上位概念が出てきているわけであるので、文脈的に考えれば、この花が何の花なのかという疑問は、すぐに解決がつくこととなる。つまり、この場合には、その先行文脈に「梅、桃、桜、林檎、梨、すもも」という植物の名前が列挙されているので、これらの花が咲くということが、ここでは理解されてくるのである。したがって、この場合には、先行文脈を参照する形で、そのタイプの特定がなされていると言えるので、ここでは、前方参照タイプのタイプ特定が行われているものとして、一般に認識することが可能である。

　これに対して、下記の（14）は、どのように解釈されるであろうか。

　（14）蚊帳の中から　<u>花</u>を見る
　　　　咲いてはかない　酔芙容

（石川さゆり「風の盆恋歌」（作詞：なかにし礼、作曲：三木たかし）
［下線は筆者による］）

　この場合にも、下線を引いたように、「花」という上位概念が登場してきている。しかしながら、ここでも、「花」ということばだけでは、それ

が何の花なのかはまったく分からず、タイプ認識の点では、完全に不特定であると言わざるを得なくなってしまう。ところが、（14）にもきちんとした文脈が提示されてあるので、それを参照していくとすれば、この花が何の花のことを意味しているのかは、おのずと理解できてくるようになる。つまり、この場合には、その後続文脈を参照することにより、「酔芙蓉」の花のことを意味していることが分かってくるのである。したがって、この場合には、後続文脈を参照する形で、そのタイプの特定がなされてきていると言えるので、このような場合には、後方参照タイプのタイプ特定が発動されているものとして理解することができる。

　それでは、タイプ認識の文脈的特定性に関しては、両方参照タイプのタイプ特定は観察されえないのであろうか。この点については、下記の（15）に示されるように、両方参照タイプのタイプ特定も、文脈によっては起こりうると考えておく必要がある。

（15）a．太郎は焼酎のボトルを一気飲みして、その倦怠感を<u>酒</u>にぶつけた。

　　　b．太郎はグラスに<u>酒</u>を注いでくれた。それはかなり高級なワインだった。

　　　c．太郎はビールを注文して、<u>酒</u>を楽しんだようであるが、ビールの方はどうも太郎を嫌ったらしい。

　（15）では、下線で示したように、ここでのすべての事例に、「酒」ということばが登場してきている。一般に、「酒」という上位概念は、要するには何の酒を飲んだのかという意味での、その下位概念への疑問へとつながっていくことになるので、まさにタイプ認識の文脈的特定性が関与してきていると考えられる。まず、（15ａ）では、「酒」ということばの先行要素として、「焼酎」ということばが観察されるので、ここでは「酒」＝「焼酎」という特定化がなされているものと思われる。したがって、この例は、前方参照タイプになっていると言える。次に、（15ｂ）に関しては、「酒」ということばの後続要素として、「ワイン」ということばが見られている

ので、ここでは「酒」＝「ワイン」という特定化が行われていると考えられる。したがって、この例は、後方参照タイプとして、認識することが可能である。そして最後の（15ｃ）については、「酒」ということばの前後文脈に、「ビール」ということばが登場してきているので、ここでは「酒」＝「ビール」という特定化がなされていると言ってよい。したがって、この例は、文脈的に見れば、上位概念という「酒」が下位概念である「ビール」に挟まれるという構造を持っていると言えるので、両方参照タイプとして、一般に認定されることとなる。

　それでは、下記の（16）の事例に見られる「酒」という上位概念は、具体的には何の酒のことを指示していると言えるであろうか。

（16）私は熱々に燗（かん）をした徳利（とっくり）を傾けて、母の手にある小ぶりのお猪口（ちょこ）に酒を注ぐ。
（阿川佐和子「ことことこーこ（171）「第七章 二人の生活（八）」
山陽新聞（2017年3月9日）p. 22［下線は筆者による］）

　この場合には、先ほどの（15）とは異なり、具体的な酒の下位概念が、その文脈下に登場してきていないという点が、ここでのポイントとなってくる。しかしながら、私たちは、この文脈を普通に読んだだけで、その酒の種類（あるいはタイプ）を、頭の中に自然と思い浮かべることが可能になってくるのも、また事実であると言わなければならない。つまり、ここでは、「酒」＝「日本酒」という特定化が、おのずと行われてくると言えるのである。

　それでは、言語理解の認知プロセスにおいて、なぜこのようなことが自然と生じてくると言えるのであろうか。その答えを、認知言語学の中で探求するとすれば、フレーム（frame）という考え方が（cf. Fillmore 1982, 1985）、ここでは重要となってくる。フレームとは、端的に言えば、私たちが頭の中に持っている一般知識（あるいは一般的な記憶知識）のことを指していると言える。したがって、（16）の場合には、その文章を読み込んでいくと、「燗（かん）」「徳利（とっくり）」「お猪口（ちょこ）」などと

いった概念が出てきていることに気付かされることとなる。これらの概念は、まさに、「日本酒」のフレームを頭の中に喚起させる意味では、きわめて重要な役割を果たしていると、ここでは考えなければならない。というのも、「燗（かん）」「徳利（とっくり）」「お猪口（ちょこ）」などの概念と結びつくお酒のタイプと言えば、私たちの一般知識の中では、「日本酒」しか思い起こすことができないからである。したがって、(16)の場合にも、タイプ認識の文脈的特定性が発動されてきていると考えることができるわけであるが、ただし、それは直接的な言語化を通してではなく、フレームという間接的な言語化を通して、それがなされていると、ここでは理解される必要がある。その意味では、このような事例については、暗示的（あるいは非明示的）な文脈的特定性が発動していると理解することもできるかも知れない。なお、(16) の場合は、フレームという間接的な言語化によって、タイプ特定が行われているものの、「燗（かん）」「徳利（とっくり）」「お猪口（ちょこ）」などといった概念は、その先行文脈に登場してきていると言えるので、この場合は、前方参照タイプの間接的な（あるいは暗示的な）タイプ特定として、ここでは理解できてくるように思われる。

6．おわりに

　本論では、文脈的特定性と呼ばれうる言語の性質に関して、その具体事例を随時列挙しながら、それが意味するところを、あるいはまたその基本的な考え方を、簡単に考察・分析してきたと言える。文脈的特定性には、大きく分けて、３タイプのパターンがあり、それらは、前方参照タイプ、後方参照タイプ、両方参照タイプ（前後参照タイプ）のように、一般に区分していくことが可能である。本論では、文脈的特定性の代表的な具体事例としては、照応現象を指摘することができるということを述べたが、その他にも、活性化領域としての特定性、数認識の特定性、タイプ認識の特定性など、文脈的特定性が発動されうる言語現象としては、日常の言語生活の中に、多数存在しているものと考えることができる。今後の研究では、文脈的特定性の範疇に入りうる言語現象をより厳密に見定めていくことで、文脈的特定性という概念の重要性と必要性について、とりわけ認知言

語学の理論的枠組みの中で、より深く掘り下げた探求を試みていきたいと
考えている。

参考文献

Fillmore, Charles J. (1982) "Frame Semantics." In: The Linguistic Society of Korea (ed.), *Linguistics in the Morning Calm*, pp. 111-137. Seoul: Hanshin Publishing Co.

Fillmore, Charles J. (1985) "Frames and the Semantics of Understanding." *Quaderni di Semantica* 6 (2): 222-254.

Langacker, Ronald W. (1990) *Concept, Image, and Symbol: The Cognitive Basis of Grammar.* Berlin/New York: Mouton de Gruyter.

Langacker, Ronald W. (2000) *Grammar and Conceptualization.* Berlin/New York: Mouton de Gruyter.

Langacker, Ronald W. (2008) *Cognitive Grammar: A Basic Introduction.* Oxford: Oxford University Press.

認知言語学の愉しみ
―あとがきに代えて―

1．はじめに

　認知言語学（cognitive linguistics）あるいは認知意味論（cognitive semantics）という学問分野の魅力に取りつかれて、相当の年月が経過しようとしている。とはいえ、認知言語学あるいは認知意味論とは何なのかと直に問われたとしても、その明確な答えを即座に提示することができるほど、筆者の思考は進展していないようにも思われる。これまで、長い年月をかけて、この学問領域の研究に浸り込んできたわけではあるが、その答えは、筆者の研究の道程においては、まだまだ先に位置づけられているようであり、依然として不鮮明なままであると言っても過言ではない。

　しかしながら、研究というものそれ自体が、どの学問分野にしても、本来的に言えば、未知を訪ねて突き進むというものであるとすれば、この種の思考回路は、ある意味では、当然のことであるとも言わなければならないのかも知れない。というのも、現時点において、認知言語学あるいは認知意味論とは何なのかに対する答えが完全に出ているのであれば、それ以上先の研究については、そもそも進展しようはずもないからである。

　本論では、このような状況にありながらも、認知言語学あるいは認知意味論の研究において、その中核に位置すべき基本的特徴とは何なのかという点について、簡単ではあるが、少しばかり考えてみたいと思っている。

2．「認知原則」という考え方

　まず、何といっても、筆者に認知言語学の魅力を感じさせてくれるのは、その理論的な分かりやすさにあるものと考えられる。「お絵描き言語学」などと時には揶揄されることもあるのであるが、私たちが言語を使用

する際に頭の中に浮かんでいることを、認知図式というツールでもって提示するという研究上の手法は、言語学者の視点からも、あるいはまた1人の言語使用者という視点からも、きわめて直感的に理解でき、ことばの本質を見定めるのにもかなり重宝なものであるとも言うことができるであろう。生成文法（generative grammar）や形式意味論（formal semantics）といった伝統的な言語学分野においては、その言語の姿を分析したり表現したりするためのツールに独特の性質があり、いわゆるプロの言語学者でなければ、そのツールを読み解くのにはかなりの苦労を強いられるという状況が形成されているようにも思われる。ところが、認知言語学の場合にも、専門性がより高い部分については、これと同様のことが当てはまるのかも知れないが、それでも、言語学のプロでなければ太刀打ちできないというほどの難しさまでには到達せず、一定の基本知識さえ押さえておけば、そのからくりを明示的に解き明かすことさえできるような柔らかい言語分析が、そこには展開されているようにも考えられる。

　認知言語学という学問がこのような性質を備えるようになったのは、やはり、それまでの言語学分野が形式的な側面にこだわってきたことと、言語研究上、その研究範囲をかなり狭く規定してきたことという、2つのことの影響がかなり強く、その反発もあって、認知言語学の柔軟性というか、あるいは奥深さというものが生まれてきているようにも考えられる。事実、認知言語学という学問領域においては、形式的な側面からの脱却および再構築化、あるいは広義での意味的側面の重視という視点が開拓され、また、認知言語学における言語研究の対象範囲についても、特にそういったものが設定されているわけではないという点で、認知言語学は、柔軟性のある言語学、また奥深さのある言語学という認識を獲得するまでに至っていると言ってもよいかも知れない。

　それでも、このような漠然とした土壌の中で、実質的にどのような学問分野が生み出されてくるのか、そしてそれがどのような成果へとつながっていくのかと、疑問を突き付けたくなる人も、なかにはいるものと推測される。そこで、重要となってくるのが、Lakoff (1990) が提示した the Cognitive Commitment という考え方であると言える。ここで提示した the

Cognitive Commitment というのは、残念なことに、定訳がないので、そのまま英語のまま提示しているが、とりあえず、本論では「認知原則」とでも呼んでおくことにしたい。一般に、この「認知原則」は、認知言語学という学問領域を定義づける一大特徴として知られているものであり、ことばの記述や説明をしていく際には、認知に関してこれまでに知られている事柄と一致するように、その議論展開に注意すべきであるという1つのテーゼとして理解されるものでる。したがって、このような方向の提示は、その当時の言語学分野においては、ある意味では唐突なことと映ったことかも知れない。というのも、言語が認知の一部であるというのはよいとしても、その両者を有機的に組み合わせて、考えていくのには、かなりの抵抗があったように推測されるからである。すなわち、これまでは言語のためだけの分析や説明ができるだけで、それで十分とされたものが、認知原則の導入によって、それだけでは不十分となってしまったからである。要するに、さらに一歩進んで、認知に関してこれまでに知られている事柄をも踏まえて、言語の記述や説明は行われなければならなくなったのである。

　このような状況を傍観者的な視点で観察するならば、一見したところでは、要求課題のハードルが高く、その研究も予想外に大変になりそうな感が出てくるのであるが、実際のところは、それは、先にも述べたように、直感的な理解度が改善して、特定の簡単な知識があれば、専門家でなくても、誰にでも理解しやすくなったという意味で、一定の成果が得られたものと考えることも可能である。そして、何よりも、認知に関してこれまでに知られている事柄を踏まえての言語の記述や説明というのは、私たちが多種多様な認知活動を伴う日常生活の中で生きているという点を考慮すれば、また言語使用は私たちの日常世界と密接に結び付いているという点を考慮すれば、ある意味では、当然のことでもあり、そもそもとしてその仲介リンクを外してしまう方が、言語研究上、危険なものなのではないかとも思ってしまうところでもある。

　認知言語学の領域においては、これまで、多種多様な認知プロセス（cognitive process）が様々な文献で提唱されてきたと言えるが、そのいずれをとっても、言語領域内だけで機能する認知プロセスとしては認識され

てはいない。むしろ、言語よりもはるかに大きい領域を構成するものとして理解されている認知領域において既知となっていることを利用しつつ、言語の記述や説明を行うわけであるので、言語領域外でも認められる認知プロセスに着目しながら、認知言語学あるいは認知意味論は、言語の記述や説明を行ってきた（あるいは行ってきている）ということである。

　したがって、このような背景があるからこそ、言語と認知の間は比較的結び付きやすく、また直観的にも理解しやすく、むしろ認知を土台とする形で言語があると言っても過言ではないのかも知れない。その意味では、認知言語学あるいは認知意味論の研究は、「認知原則」という考え方の下で行われるべきものであると認識されなければならず、その方向性ないし着眼点が今日見られるような認知言語学（あるいは認知意味論）という研究土壌を着実に構築してきたと言えるようにも考えられる。

３．言語研究と文学研究の接点

　このような形で、言語研究上、認知と言語との結び付きが強まっていくということは、さらに興味深い事実を１つ、私たちに提供してくれる。周知のように、英米文学や英語学、日本文学や日本語学といった分野は、英文学科や国文学科などのように、１つの学科を構成しているわけであるが、文学研究と言語研究という側面で考えると、その間に大きな隔たりがこれまでは形成されていたものと考えられる。しかしながら、「認知原則」という考え方が普及してくると、当然予測されてくるのが、文学と言語の融合研究という視点である。これまでの形式的な言語学においては、その理論の性格上、この種の融合への動きはほとんど皆無に等しいものであったと言えるかも知れないが、認知言語学（あるいは認知意味論）の登場によって、文学と言語の融合研究という視点も、現在では大きく開拓されることになっている（cf. Lakoff & Turner 1989, Turner 1996, Stockwell 2002, Semino, et al. 2002, Gavins, et al. 2003, Hiraga 2005, Harrison, et al. 2014, etc.）。まさに、このようなことが生じるのは、やはり最終的に行き着くところとしては、「認知原則」であり、認知の中に言語があるとすれば、その状態の言語を利用しつつ文学が構造化されてくると理解して

いけば、このような方向の研究に目覚ましいものが認められるという点は、かなり率直に理解できてくるところでもある。

4．おわりに

　本論では、認知言語学の一大特徴として知られる、Lakoff (1990) の指摘する「認知原則」という考え方を中心に据えながら、認知言語学とは何なのか、あるいは認知意味論とは何なのかという問いについて、ごく簡単ではあるが、筆者の私見を述べてきた。しかしながら、これらの学問分野が各々の研究者にとってどう位置づけられうるのかということは、本来的には、その研究者自身が決めることであるとも言えるので、本論での見解が必ずしもすべて正しいというわけでもない。だからこそ、先ほども、「私見」という言い方をしたわけである。

　とはいうものの、筆者にとっては、認知言語学あるいは認知意味論という学問分野は、その研究に従事できることに愉しさをおぼえるものであり、その呪縛からはなかなか解放させてもらえそうにないようにも思われる。それだけ、この学問領域の魅力（つまり奥深さや豊かさ）というものを強く感じているからなのであろう。したがって、筆者は、今後も引き続き、認知言語学および認知意味論という研究領域で、その研究に邁進し、この分野のさらなる発展に向けて、いくばくかでもよいので、貢献できることを願いつつ、真摯にその研究に取り組んでいきたいと考えている。

参考文献

Gavins, Joanna, and Gerard Steen. [eds.] (2003) *Cognitive Poetics in Practice.* London: Routledge.

Harrison, Chloe, Louise Nuttal, Peter Stockwell, and WenjuanYuan. [eds.] (2014) *Cognitive Grammar in Literature.* Amsterdam: John Benjamins.

Hiraga, Masako K. (2005) *Metaphor and Iconicity: A Cognitive Approach to Analyzing Texts.* New York: Palgrave Macmillan.

Lakoff, George. (1990) "The Invariance Hypothesis: Is Abstract Reason Based on Image-Schemas?" *Cognitive Linguistics* 1(1): 39-74.

Lakoff, George, and Mark Turner. (1989) *More Than Cool Reason: A Field Guide to*

Poetic Metaphor. Chicago: The University of Chicago Press.

Semino, Elena, and Jonathan Culpeper. [eds.] (2002) *Cognitive Stylistics: Language and Cognition in Text Analysis.* Amsterdam: John Benjamins.

Stockwell, Peter. (2002) *Cognitive Poetics: An Introduction.* London: Routledge.

Turner, Mark. (1996) *The Literary Mind: The Origins of Thought and Language.* Oxford: Oxford University Press.

著者紹介

安原和也（やすはら・かずや）　名城大学准教授

1979 年、岡山県生まれ。京都大学大学院人間・環境学研究科博士後期課程（言語科学講座）修了。博士（人間・環境学）。日本学術振興会特別研究員、京都大学高等教育研究開発推進機構特定外国語担当講師などを経て、2013 年 4 月より現職。専門は、認知言語学。主要著書に、『認知文法論序説』（共訳、2011 年、研究社）、『Conceptual Blending and Anaphoric Phenomena: A Cognitive Semantics Approach』（2012 年、開拓社、第 47 回市河賞受賞）、『ことばの認知プロセス―教養としての認知言語学入門―』（2017 年、三修社）などがある。

認知言語学の諸相

2020 年 6 月 30 日　初版発行

著　者 ⓒ　　安原　和也

発行者　　　佐々木　元

発行所　　株式会社 英宝社
101-0032　東京都千代田区岩本町 2-7-7
TEL [03](5833) 5870　FAX [03](5833) 5872

ISBN 978-4-269-77058-4　C1082
製版・印刷・製本／日本ハイコム株式会社